2022年 再起動する社会

伊東千秋

Speedy Books

はじめに
～われわれは、「既に起こった未来」を生きている

１９７０年に富士通株式会社に入社した私は、以降、ノートパソコン事業の立ち上げ等を経て、１９９８年に当時大赤字を抱えていた子会社、米国富士通（Fujitsu PC Corporation）の再建のため、シリコンバレーへ赴任することとなった。毎年１００億円の大赤字を出しており、当時の富士通の社長からは、「世界で最も大きな赤字を出している子会社をなんとかしてくれ」と言われてアメリカへ送り込まれたのである。３年後に黒字化を果たし、帰国の途につくことになるのだが、本題に入る前に自己紹介をかねて、この時の話について、少しだけおつきあい頂きたい。

大赤字だった米国富士通の再建

パソコンビジネスというものは、受注の際は黒字でも、商戦末期に流通在庫が残ると、その値引き分をメーカーが保証しなければならず、結果大赤字になってしまう。かつて半導体部門によるパソコンビジネスで失敗し、一度シリコンバレーからの撤退を余儀なくされた当時の米国富士通では、これ以上の赤字は許されなかった。社長として渡米することになった私は、絶体絶命の状況に追い詰められており、「黒字化するまでは日本へは戻らない」という覚悟であった。

赴任して最初の1年目は、ありとあらゆる方法をとった。しかし、赤字は一向に減らない。胃の痛い思いを抱えながら2年目を迎え、私は当時、5人雇っていたアメリカ人副社長たちに意見を聞くべく、一人ずつ面談を行った（5人の副社長は、Apple、IBM、COMPAQ など、シリコンバレーで一流のパソコンメーカーに勤めている人たちであった）。私が彼らに聞いたのはただひとつ、「パソコンビジネスにおいて、絶対にやってはいけないことは何か？」である。

その時、５人のうちの一人が、こう告げた。

「どんなに値下がりしても、そこで売ることを止めてはダメだ。店で売る棚を失えば、次の商品を売る場所を取り戻すことができないから」

さて、果たして本当にそうなのだろうか？　その話に懐疑心を持った私は、実際に店舗に出向いてヒアリングをした。すると、「商品がないならないで、べつに構わない。商戦は年に３回あるから、しばらく待てば、また新商品が出るし」と、副社長とは全く違う答えが返ってきたのである。

業界の常識に固執している限り、赤字を減らすことはできない。私は、店の棚を確保することよりも、在庫を０にすることが正解だと確信した。そのためには、注文が入った翌日に、確実に届ける仕組をつくれば良い。そうすれば流通在庫は不要となり、赤字がかさむこともなくなる。さて、いかにサプライチェーンを俊敏にするか。そこから私は、チームのみんなと必死で頭をひねり、アイデアを出し合っていった。

島根とケンタッキーを24時間以内で結ぶ

見つかった突破口は、時差とＵＰＳ（United Parcel Service）の活用だった。時差のほうから説明しよう。

アメリカの営業が注文を出す夕方、日本は朝である。島根県にある富士通の工場で午前中に注文のパソコンをつくり終えて関西国際空港（関空）に運ぶ。するとＵＰＳの貨物便がアメリカに向けて出発する。太平洋上で通関手続きを終え、ケンタッキー州ルイビルに到着すると、その日のうちに全米どこへでも届けることができる。時系列にまとめると、次のようになる。

時差と所用輸送時間

米国富士通の営業部（本社）があるカリフォルニア州は、太平洋時間（ＰＴ）で日

本から＋8時間（夏時間）

UPSハブ、ケンタッキー州ルイビルは東部時間（ET）で日本から＋11時間（夏時間）

島根県斐川町から関空までは3時間

関空からルイビル空港までは12時間

（サプライチェーンプロセス）

16：00（米国PT）米国の営業本部が全米の注文リストをまとめて日本へ発信

8：00（日本時間）島根県斐川町の工場で注文メールを受信し、製造開始

発注と同時

13：00（日本時間）島根工場製品発送　5時間経過

16：00（日本時間）関空着　8時間経過

17：00（日本時間）UPS便関空離陸　9時間経過

20：00（日本時間）日付変更線で洋上通関

（UPSがUS Custom：米国税関より委託）

16：00（米国ET）ルイビル空港着　21時間経過

（＊ルイビルからは全米各地に24時間以内に届けられる）

赤字続きだった頃は一体どうしていたのかというと、日本から部品を取りよせ、米国工場（オレゴン州ポートランド）で製造出荷を行っていた。米国工場の生産性は低く、翌日までに納入するなどは、全く考えられないことであった（先述の航空便サプライチェーン実施後は、オレゴンの米国工場は閉鎖となった）。

そして、ＵＰＳは世界最大の物流業者である（売上高はおよそ１００兆円）。ケンタッキー州ルイビルに航空便のハブがあり、10本以上の滑走路を自社保有している。トヨタの米国最大の製造工場がルイビルにあるため、日本からの定期直行便が成田、関空から毎日飛び立っている。つまり、ルイビルに荷物が着くと、全米に24時間以内に届けることが可能になる。ちなみに、このサプライチェーンの成功ストーリーは、アメリカのビジネススクールの教科書にも掲載されている。

「既に起こっている未来」をどう見つけるか

長い前置きとなったが、この時の再建の経験は、私にいくつもの学びと気付きを授けてくれた。それから20年間というもの、私は毎年、調査目的でシリコンバレーに通う日々を過ごすことになった。

「未来は予測するものではない。つくり上げるものだ」。

これは、シリコンバレーにある「未来研究所」というシンクタンクの入り口にある大看板に書かれたメッセージである。このシンクタンクは、かの有名なRAND研究所から分かれたものだ。RAND研究所とは東西冷戦時代、いかにしてソ連に勝利するかを永年研究してきた軍事専門のシンクタンクだった。ラムズフェルド元国防長官やライス元国務長官も、このRAND研究所の出身である。私はこの未来研究所を何度か訪れているが、シリコンバレーの人たちは、この看板のメッセージのように、「未来は自分たちがつくる」という強い自負を持っている。

そしてそのとおり、シリコンバレーで起こったことは、3年後には世界中に波及し、もちろん日本にもやってくる。だから私は、部下に対して常々、「将来何が起きるのかをみんなで議論するのもいいが、今シリコンバレーで何が起きているのか、自分の目でしっかり見てきたほうが手っ取り早い」と言ってきた。世界中の叡智が故郷を捨てて、「我こそは世界を制するのだ」という志を持ち、死に物狂いで頑張っている人達に対して、生まれ故郷で長閑(のどか)に暮らしている私たちは簡単には勝てないからである。

日本で初めてスーパーマーケットをはじめたダイエー創業者の中内㓛さんはじめ、ショッピングモールを始めたイオン創業者の岡田卓也さん、コンビニを始めた株式会社セブン&アイ・ホールディングス代表取締役会長の鈴木敏文さんも皆アメリカを視察し、「これは、いつか日本にも来る」と信じて、誰よりも早く日本で新たな業態をはじめた。こうした先人たちに学んで、私はシリコンバレー勤務から日本へ帰国してからも、20年以上にわたって、シリコンバレーへの視察を毎年一度も欠かしたことはなかった。ところが2020年に起こった新型コロナウイルスによるパンデミックで米国への渡航は禁じられ、さて新たな変化を一体どこから学んだら良いのか、途方に暮れてしまった。

今思うと、諸外国に比べて、第一波をうまく抑えたことから「日本の奇跡」とか「ファクターX」とか日本礼賛のメッセージが溢れたことが嘘のようである。やはり、この新型コロナウイルスは得体が知れない感染症であり、無策にも見える政府を非難する声に同意する人も多いが、一方で政府の側に立って考えてみると、誰も、どうしたら良いかわからないのではないかと少し同情したりもする。

従って、このコロナ禍は、次々と出現する変異ウイルスを考えれば、もうしばらく続くと考えたほうが良い。だとすると「クマが出た時には死んだふりを!」という教訓は役に立たない。1年も死んだふりをしていたら本当に死んでしまう。つまり、今の状況が長く続くという前提で、何か新しいことをはじめなければ、個人も企業も生き残れない。コロナ禍が収束した後には、今までとは異なった時代、ニューノーマル(新常態)になるといわれているが、果たして世界は、どんな未来を迎えているのだろうか。

ここで、オーストリア出身の経営思想家のピーター・ドラッカーが語る、「〝既に起こった未来〟を見つけよ」という言葉について考えてみたい(ドラッカーは、未来学者と呼ばれたことでも知られている)。

つまり、アフターコロナ時代に起きることは、今まで全く起きなかったことが突然はじまるわけではない。その変化の兆候は、既に起きているのだ。コロナ禍は、その変化を加速させるだけだと考えたほうが良い。だからドラッカーが言っているように、私たちはその「既に起こった未来」を丁寧に見つけ出さなくてはならない。

コロナ禍において、日本や世界に起きていることを眺めているうち、私は新たな出来事が沢山起きていることに気づいた。それらのうち、幾つかは既に起こっていたのに、たまたま気づかなかったこともある。さらに、これまで起こった多くの変化の中で、コロナが収束しても元には戻らないだろうと確信できるものが少なくない。

コロナ禍は、これまで存在していた課題を一層拡大させ、より顕在化させると共に、これまで潜在化していた課題を人々の前に明らかにした。収束後も引き続き、こうした課題に向かって対応する必要に迫られている。アフターコロナの新常態とはどんなものかと、改めて考える必要はない。コロナが既に、そうした課題をわれわれに提示してくれているからである。

本書は、それらの課題について筆者なりに考察し、輝かしい「日本の未来」への提言を行うものである。そんな「既に起こった未来」についてレビューしながら、アフターコロナ時代に起こる未来予測をしていきたいと思う。新たな時代に対して、日本という国が生き残る方策とはどんなものか。その仮説が、読者の方々の生き方、働き方のヒントになれば、幸いである。

この度、私にとって初めての著作となる本書を上梓するきっかけをつくってくださった、元警察庁長官の安藤隆春氏に心から感謝します。安藤さんは、東日本大震災時の警察庁長官として、全国から集まった警察官を被災地で陣頭指揮された方として、心より尊敬しています。また、出版についての具体的なプラン作成を快くお引き受け頂いた株式会社スピーディ代表取締役社長の福田淳さま、初心者の私を優しく丁寧に、ご指導頂いた編集者の井尾淳子さまにも、心からお礼を申し上げます。

２０２１年10月　伊東千秋

目次

第二章
未来を見ていた世界

第三章
世界から取り残された日本

第一章
2022年に起こっていること

製薬業界2・0
～ファイザーが起こした「カイゼン」

2021年4月12日。日本でも高齢者向けのワクチン接種がはじまった。まずは、ファイザー社のワクチンからの接種がはじまって、引き続き、モデルナ社製が承認された。ファイザー社やモデルナ社が開発したmRNA型の新型コロナワクチンは世界中で高い評価を受けた。

一般的に10年は必要といわれているワクチン開発が、これらアメリカの製薬会社では、なぜ僅か1年以内で完成したのか。この話を聞くと、もうひとつ、どうして日本の製薬会社は、これほど無力だったのかという理由も理解できてくる。遺伝子操作において画期的な「クリスパー・キャス9」技術が普及してから、日米のゲノム創薬力の差は、じつは、それほど大きくはない。日米の製薬業界で、一体何が明暗を分けたのかを探ってみたい。

ところで、アメリカの製薬業界も新薬を開発する際の高いハードルと、過去の巨額の開発費を投じた新薬が特許切れで安価なジェネリックに置き換えられてしまうなど、まさに「前門の虎、後門の狼」状態で、投資家から見放されるほど魅力のない状況に陥っていた。こうした苦境を乗り越えるため、各製薬会社は「ゾロ新」と呼ばれる「新薬」を開発して利益を拡大していたが、その経営形態は「倫理的にどうなのか？」として一般国民からも評価が低かった。

新薬には「ピカ新」と「ゾロ新」があり、「ピカ新」とは文字どおり、従来知られていなかった新規の化学構造を持つ成分によって画期的な治療効果を出すもので、別名「ファースト・イン・クラス」とも呼ばれるものである。ジェネリックは、この新規の化学構造の特許切れにより、同じ化学構造の成分を用いてつくられる薬品のこと。「ピカ新」と同じ治療効果を有するが、価格は安価に抑えられるので「ピカ新」を開発した製薬会社としては大幅に利益率が下がる。

これに対して「ゾロ新」とは、「ピカ新」に使われている成分とは、少しだけ異なる化学構造を有する成分からできているが、効能は「ピカ新」とは殆ど変わらない。しかも「ピカ新」とは異なる化学構造という理由で新薬とみなされて、薬価はジェネリックのように大幅に引き下げられることはなく、堂々と新薬として高い薬価で売ることができる。とくに、ファイザー社が「ゾロ新」の開発に執着したのは「ピカ新」に比べて開発費や開発期間が大幅に短縮されるからだ。こうしたことを受けて、ファイザー社は投資家からも、一般市民からも「強欲な会社」として蔑まれていた。

そのファイザー社が、なぜ、今回ワクチン開発で画期的なことができたのだろうか？その解は、何と「日常業務の迅速化」だったという。振り返ってみると、今回の新型コロナワクチン開発は従来の製薬業界の常識を打ち破る転換点ともいえるのだといえう。さて、「日常業務の迅速化」とは一体どういうことをいうのだろうか？　ファイザー社が行った一番大きな経営改革は「開発方針に関する意思決定をトップ層からボトム層へ落とした」ことだった。これで、これまで治験コンセプトを立案するのに、通常3－4カ月かかっていたのが、今回は3日で作成できた。

もうひとつは、「徹底したオンライン活用」である。コロナ禍で人々の移動が制限されている中で、治験者の募集もオンラインで行った結果、従来とは比較にならない数の応募者が集まった。そうした治験者への問診や接種後の診断も、すべてオンラインで行われ、従来に比べて飛躍的に効率化が図られた。また、ファイザー社と担当医師との直接会話もオンラインの利用により従来比で10倍以上に増えた。さらに今回の新たな試みは、治験に参加した医師の膨大なメモをすべてデータベース化して人工知能（ＡＩ）を用いて、きめ細かく整理したことが大きく貢献したという。こうした業務のデジタル化によって、生産性は従来とは比較にならないほど向上したという。

製薬業界の常識を変えた新型コロナの画期的なワクチン開発は、当たり前に思えることを徹底して行い成し遂げられたともいえる。とにかく一番重要なのはスピードだ。日本がワクチン開発やワクチン接種で世界に比べて、これだけ劣位に甘んじてしまったのは、やはり、従前のやり方を踏襲することしかできない社会風土や、常に上に伺いを立てる忖度の文化など、日本経済の長い低迷の病根と深い関わりがあるだろう。とにかく、ファイザー社は、今回の成果で「強欲な会社」から「命を救う会社」へとイメージを一新した。

現場に大きな権限委譲をして、絶え間なく「日常業務のカイゼン」を続けることによって、大きなブレークスルーを生み出すという「ワザ」は、元々は、日本の得意芸だった。かつて、アメリカ企業の経営者は、アメリカの社会学者エズラ・ヴォーゲルの著作『ジャパン アズ ナンバーワン　アメリカへの教訓』（CCCメディアハウス）を貪り読み、日本企業が生み出した「カイゼン」を真剣に学んだ。さらに、少し前にシリコンバレーで大流行した「デザイン思考」はスタンフォード大学でもいまだ人気の講座であるが、ここで唱えられている標語は、「議論するより手を動かせ」「考えるより試してみろ」などと極めて実践的である。どこかで聞いた話だなと思ったら、日本の製造現場での小集団活動で用いられていたものとそっくりだった。

日本はバブル崩壊後、30年にわたって低迷を続けているわけだが、日本の経営理念がすべて間違っていたわけではない。そのことは、もっと自信を持つべきだと思う。戦後、バブル期に至るまでの日本と、今と、何が大きく違うかといえば、社会や会社でリーダーシップを取っている年齢だ。高度成長期は、もっと若い人たちに多くの裁量と権限が与えられていた。高齢者の経営者たちが、先の敗戦によって自信を失っていたからだ。しかし、30年にも及ぶ経済の低迷は、もはや戦争に負けたのと同じである。そろそろ若い人に権限委譲する時期が来ている。

日本が半導体戦争に勝利する日

２０２０年の10月頃。コロナ禍でオンライン講演を行うために、家電量販店にビデオカメラを買いに行った。すると半導体が入手できないため暫くの間、販売中止とのビラが貼ってあった。仕方なく、知人がオンライン講演に使用している25万円もするＳＯＮＹの高級カメラを代わりに買う羽目となった。そんなことがあるのかと思っているうちに、２０２１年５月18日、トヨタが半導体部品を入手できずに６月に国内２工場の操業を停止し、２万台の減産というニュースが飛び込んできた。この時は本当に、「コロナ禍で世界は、半導体の入手を巡って戦争状態に突入した」と感じた。

コロナ禍は半導体の需要を大きく伸ばすきっかけとなった。移動ができないからオンライン会議で仕事をする。出社できないから自宅でテレワークをする。どこにも遊びに行けないから自宅でゲームをする。学校が閉鎖になったからオンライン授業を受ける。どこのお店でも非接触体温計を設置する。どこの家庭でも血中酸素濃度を測定するためにパルスオキシメーターを購入する。コロナ禍で発生した半導体需要を数え上げるだけでも際限がない。

現在、世界で半導体を大量に生産しているのは中国と台湾と韓国だけ。その内、最先端分野は台湾のＴＳＭＣと韓国のサムソン電子しかない。中国は、半導体の生産国でもあるが世界最大の半導体輸入国でもある。アメリカのインテル社も最先端の工場を有しているが、自社分だけしか製造していない。かつて、日本が多くの半導体企業を抱えていたのが嘘のようだ。

２０２１年3月24日、台湾政府は水供給をめぐり6年ぶりに非常警報を発令。台湾中部の貯水池で水量が極めて危険な水位にまで下がっていると発表した。企業向けの工業用水の供給も制限され、世界最大の半導体製造設備を有するＴＳＭＣが水不足で操業が窮地に陥っていた。かつて九州が日本のシリコンアイランドといわれるほど半導体製造拠点が多かったのも、豊富で質の良い水の供給があったからだ。台湾では、この未曾有の旱魃（かんばつ）で、ＴＳＭＣにも水を供給するダムの貯水率が５％にまで減っていた。気候変動が及ぼす影響は、穀物生産だけでなく、半導体の製造にも影響を及ぼしたのである。コロナ禍は、こうした世界をめぐるリスク管理の問題を顕在化させた。

10数年前だろうか？　ＩＢＭの半導体部門の人が言っていたことを思い出す。「かつて半導体事業は、１ドル投資したら2ドルの利益が得られたが、今は1ドル投資しても30セントしか利益を得られない」とのことだった。それなら事業として続けることは難しい。しかも投資額が数千億円から何兆円にもなるのだから、少し間違えただけで会社を丸ごと潰してしまう。日本の企業で、そんな大胆な賭けができるところは結局1社もなかった。

そんなリスクの大きい事業を韓国と台湾のメーカーはやり続けた。もちろん国の支援も相当にあっただろう。でも、今や、最後に勝ち残ったものが、利益を総取りしている感じもある。もうひとつ、半導体工場は膨大な電力を食う。富士通は東京都下のあきる野市に小規模の半導体工場を保有していた。開発部門の近くにあって先端技術を磨くための小さな工場だった。それが、東京都では東大に次いで電力を多量に消費する事業者だというのには驚いた。

何しろ半導体はシリコンからつくるのではなくて、電気からつくるといわれていたくらいだから、日本の電気料金が世界的に見ても高いというのも半導体産業には大きなハンディだった。当時、韓国の電気料金は日本の三分の一といわれており、サムソンなどは日本企業に比べて圧倒的に有利だった。韓国も日本と同じく化石燃料を使って発電しており、どうして韓国の電気料金がそんなに安いのかは全くの謎だった。それは、企業優先で消費者にツケを払わせるという、韓国独自の産業政策だったのかもしれない。

台湾のＴＳＭＣは自社製品を一切持たず、すべて他社からの製造請負という特殊なビジネスモデルに拘った。結局、これが高い稼働率を引き出す上で有利となり、世界一の半導体製造企業になった。再び、世界一の座についた富士通製のスパコン富岳の半導体もＴＳＭＣの製造である。今や、世界で技術力においてＴＳＭＣに勝てる企業は1社もない。このことが、アメリカを大いにイラつかせている。つまり、アメリカは、中国が台湾を統合した時のリスクを考えているからだ。

コロナ禍は米中衝突を、より一層激化させた。今や、アメリカの国民感情もこの衝突を支援しているので、政治的に中途半端な妥協はできない。さらに、このコロナ禍は様々な場面で国境を強く意識させたため、戦略物資の自由な交易を困難にさせている。こうした背景の中、コロナ禍が爆発的な半導体需要を伸ばしたことで、事態を一層深刻化させた。つまり、半導体が安全保障上の戦略物質になりつつある。

先日、インテルのＣＥＯに復帰したパット・ゲルシンガーは、私の長年の友人である。彼は、長年、インテルのＣＴＯとして開発・製造部門を副社長として率いてきたが、ＣＥＯレースで営業部門出身のオッテリーニ副社長に敗れてストレージシステムで高いシェアを持つＥＭＣの副社長に転出した。その後、ＥＭＣ傘下で仮想ＯＳでは世界一のVMwareのＣＥＯとなり、アメリカで最も優秀なＣＥＯにも選ばれている。そのパットが満を持して、とうとうインテルのＣＥＯに再就任した。

バイデン政権は、財政的にもパットを強力に支援し、アメリカの安全保障を守るための半導体製造再生への道を委ねるだろう。さて、日本はどうするのだろうか。再度、国を挙げて自国に半導体製造拠点について整備をするのか？　ワクチン同様に、またもや他国依存に徹するのか？　コロナ禍で学んだ危機体験を将来の産業政策に生かしていれば、成功を収めた景色がそこに広がっていることだろう。

医療の未来を切り開く、馬 雲（ジャック・マー）

２０２０年10月24日。アリババの創業者である馬 雲（ジャック・マー）さんが、中国の規制システムを批判した直後、公の場から姿を消してから3カ月後の２０２１年1月20日、香港株式市場のビデオ会議に姿を現すと、アリババの株は８・５％も上昇した。アリババは、コロナ禍で落ち込んだ中国経済をずっと牽引し続けてきた功労者であり、中国政府は、アリババの繁栄を許す方が、最終的に中国経済にとってプラスではないかと主張。しかし、２０２１年4月10日、中国の規制当局はアリババに対して独禁法違反として過去最大の３０４０億円もの罰金を課した。これも、ある意味で馬さんと中国規制当局との和解金だともいわれた。

今やAmazonとアリババは、世界を二分するＥＣサイトである。そのアリババの創業者である馬さんとは、中国でのＥＣコンファレンスでパネリストとして、一緒に登壇したことがある。馬さんは、華奢な体躯で眼光は鋭いが、実際に面と向かって話してみると気さくで物腰も柔らかい、温厚な紳士である。多くの中国人エグゼクティブは、その能力があるのにもかかわらず、公の場では殆ど英語を話さない。しかし馬さんは、流暢な英語で私に応対してくださった。それ以来、私はすっかり馬さんの大ファンになってしまった。

馬さんは、若い時から熱心に英語を勉強して、観光で中国を訪れる外国人の通訳兼ガイドの仕事をしていたが、貯めたお金で、さらに勉強をするつもりでアメリカに渡った。マイクロソフトの本社があるシアトルに着いた馬さんは、当時 Windows 95で開花したパソコンに魅せられて、「自分の将来の仕事はこれだ」と直感した。中国に帰国し、政府系のＥＣビジネス企業に就職するが、すぐに退職。Ｂ to Ｂに特化したＥＣ企業を起こした。

会社がうまく行きはじめると、中国政府から何度も買収工作を受け、断る度にいろいろな形で圧力を受けた。それにもめげず、独立独歩の道を歩んでいた馬さんに訪れた起死回生のチャンスは中国にとって、今回の新型コロナ以上に恐ろしかったＳＡＲＳの蔓延だった。２００２年秋から中国全体がロックダウン状態になり、中国全土のビジネス活動は停止した。そこで、馬さんがとった行動は、全従業員の家にパソコンとモデムを配ったことである。馬さんは、従業員に対して、「会社に来なくて良いから、自宅で今までどおりビジネスを続けるように」と指示した。

それが大成功のきっかけとなり、馬さんの会社は大きな発展を遂げた。それ以降、中国政府は、中国経済復活への大きな貢献をしたアリババや馬さんに対して、もはや嫌がらせや圧力をかけてくることはなくなった。その後、馬さんの会社はコンシューマー相手のＥＣコマースを生業とする、今日のアリババへと繋がっていく。まさに、アリババを産んだのはＳＡＲＳだったといっても過言ではない。

そのアリババが金融子会社であるアントフィナンシャルを創設し、モバイル決済のアリペイを産んだ。そのアリペイは、中国人民銀行が発行している銀聯カードを無力化し、ＶＩＳＡやMastercardをも凌駕するようになると、中国政府もいよいよ黙ってはいられなくなった。馬さんもその自信からか、公の場で強気の発言をしたのが原因で、政権の強行派に目をつけられ一時行方不明にもなった。

アリババの副社長の講演を聞くと、アリババは祖業であるネット通販から金融、物流、そしてＩＴサービスへと事業を拡大してきたが、今後は医療とエンターテインメントの分野へ進出するという。ＳＡＲＳで大きく育ったアリババが、今度は医療の分野に恩返しする。そう聞くだけで、なんだかすごく爽やかな気分になってくる。中国の医療は保険制度だけでなく、病院自体が大きな問題を抱えている。アリババグループが、そのデジタルの力で現行の医療システムを変革できる余地は沢山残されている。

一般的に中国の人たちは個人病院をあまり信用していない。だから、多くの人たちは少しでも具合が悪くなると大病院へ行く。その結果、一日、数万人が診察に訪れる大病院が少なくない。人々は、早朝から門前に並び、診察を終えるのは夕方になる。それで、肝心の診察時間は２－３分で終わる。日本も殆ど似たようなものだが、いかに大病院でも１日に数万人の外来がある所は稀だろう。

私が想像するに、アリババが考えているのは、スマホを使った事前診察だろう。音声認識と人工知能を使ったボットであらかじめ患者の問診を済ませて、診療すべき科を決めて予約をとる。患者は、ボットが指定した時間に、指定された診察科を訪れる。

こうしたシステムを採用すれば、患者も楽だし、病院の混雑も軽減される。こんなことは、誰が考えても良いに決まっているが、多分、中国も日本と同じように医療の分野では多くの規制があるに違いない。つねに新しい事業を切り開くことを考えている馬さんは、いつも規制当局と争っている。

この医療分野における規制の多さと複雑さにおいては、アメリカも決して、日本や中国には負けていない。10年ほど前に、私はインテルが保有する投資会社であるインテル・キャピタルを訪問した。いろいろな話をしているうちに、インテル・キャピタルが投資している事業には医療分野がひとつもないのに気がついた。「インテルは、なぜ医療分野に投資しないのですか?」と尋ねたら、「アメリカの医療制度は多くの規制で守られています。さらに医療業界は、巨額の資金をロビー活動に使って、さらに多くの規制をつくろうとしています。われわれには、この医療業界をＩＴで変えようとする試みに対して全くチャンスがありません」という回答で驚いた。

たしかに、今回のコロナ禍で見ると、現在のアメリカの医療制度は、先進国の中では最悪かもしれない。ひょっとすると未来は、馬さん率いるアリババが、中国において世界で最先端レベルの医療制度を構築するのかもしれない。

電子政府への壁を破る
～既得権益との戦いの果てに

２０２０年9月16日時点で、菅義偉内閣総理大臣は、就任早々、日本の電子政府（ｅ－ガバメント）を世界レベルに進めるためのデジタル庁の設置を表明した。リアリストの菅首相らしい、極めて正しい着眼点だった。かつて、小泉政権が世界一の電子政府を表明したのにもかかわらず、現在の日本の電子政府のレベルは「先進国中、最低」とはいわないまでも、それに近いレベルである。経産省がＤＸと称して、民間企業のデジタル化を推進しているが、少なくともグローバルにビジネスを行っている民間企業では、既に世界レベルに達している。

デジタル庁の設置で、日本の電子政府も同様の高いレベルになって欲しいと願うものの、１０００億円以上の費用を使って開発された新型コロナ感染対策関連で開発されたソフトウエアは酷いレベルであった。台湾のＩＴ大臣オードリー・タン氏の著書によると、オードリー氏は国が持っているデータベースの構造を公開し、国として何がしたいかを表明した。それに基づいて民間が開発したソフトのうち、優れたものを採用し、開発費用を払っている。オードリー氏レベルのスーパープログラマーであれば、「COCOA」（新型コロナウイルス接触確認アプリ）程度のソフトウエアは、１週間もあれば開発完了してしまったであろう。

小泉政権が世界一流の電子政府の開発を表明してから何年か経って、私は日本アラブ議員連盟会長を務める総務副大臣、総務省の幹部職員と一緒にカタールへ行った。中東のカタールは大変な親日国であり、日本はＬＮＧ（液化天然ガス）の大半をカタールから輸入している。カタールが保有するガス田は、とくに大規模な増産をしない限り３００年は枯渇しないといわれている。

また、首都ドーハの近郊には米軍基地があり、それに隣接して国際放送アルジャジーラの放送拠点がある。総務省は放送政策も管轄しているので、私も総務省の幹部職員と一緒に局内の設備を見学させて頂いた。ご存知のように、アルジャジーラはアラビア語と英語で全世界に向けて放送されていて、政治的には極めて中立性を保っている。

すべての経費はカタール政府が出しているが、放送内容については、政府は、一切口出しはしないとのことだった。欧米のメディアが米軍側からのカメラで放映しているのに対して、アルジャジーラは攻撃されているアラブ側から放映している点が異なるのだという。そのため、放送記者やカメラマンは戦闘の犠牲になることが多く、その犠牲者の遺品が放送局の玄関の壁いっぱいに飾られていた。アルジャジーラの人は、冗談だと思うが「私たちは、いつ隣の米軍基地からミサイルが飛んでくるか、ヒヤヒヤしながら放送しているのですよ」と言っていた。カタールとアメリカの関係も非常に微妙なものだと理解した。

さて、私たちがカタールを訪問した理由は、日本はカタールに大変なお世話になっているので、そのお礼としてカタールの電子政府構築のお手伝いをしたいと申し出ることだった。カタールは、ＬＮＧ（液化天然ガス）の輸出でお金には全く困っていないので、日本政府としても無形の技術的な援助をしたいと考えたのだと思う。しかし、政府関係者との打ち合わせは金曜日だった。イスラム教にとって金曜日は礼拝の日で休日である。その日程調整は誰がしたのかわからないが、少し失礼なようにも思った。

あるいは先方が、意図的に休日を選んだのかもしれなかった。出席したのは女性のIT担当大臣で、英国人と韓国人と思われる人物を同伴して着席した。私たちが、訪問の趣旨を話して、「電子政府構築のお手伝いをしたい」と提案すると、IT担当大臣からは、誰もが想像できなかった発言を聞くことになった。

「私たちも電子政府の構築は非常に重要だと思っています。しかし、欧米の文化は私たちには、うまく合いません。私たちは欧米のやり方よりも、むしろアジアのやり方から学びたいと思っています。そこで、私たち独自に、アジアでどこの国が一番優れた電子政府を構築しているかを調べました。その結果、アジア諸国の中ではシンガポールと韓国が電子政府で一番進んでいると認識しました。私の両隣にいるのは、シンガポール政府と、韓国政府から派遣されたITコンサルタントです。私たちは彼らの助言で、今プロジェクトを進行させています。この度の日本からのご提案は大変ありがたいのですが、とりあえず現在の形で進めたいと思っています」と丁重に断られた。日本のIT企業の経営者として、私自身にとっても、これほどショックなことはなかった。官民ともに大きな反省である。

この反省を持って、私は韓国に行った。韓国のＩＴ大臣に「なぜ、韓国の電子政府は、国際的にも高い評価を得るに至ったのですか？　その秘訣を教えてください」と尋ねた。大臣は「いや、私たちはむしろ、日本から学んでいるのですよ。日本政府は、たびたび、画期的な〝実証実験〟をやるでしょう。韓国政府は、それをよく観察しています。それが良いものだったら、韓国では試行ではなく、すぐに実行レベルに落とします。一方、日本は試行で満足して、本番はやらない。じつにもったいない」と皮肉を込めて語る。確かに、日本政府は、いつもアグレッシブな「試行」を多数行うが、その「試行」が実行に移されたことは殆ど聞いたことがない。なぜなのだろうか？

じつは、ここにこそ大きな問題がある。日本政府が「試行」から「実行」に移行できないのは、いろいろな規制の壁があるからだ。この規制を打ち破るには、既得権を有する勢力との多くの戦いがある。これが面倒だから「試行」で済ませてしまい、政治家も官僚もやった感で満足する。「我が国にとって、こんなことも本気になればできるのだ」というつもりだろうが、「実行」するつもりがない「試行」だけなら、それは予算の無駄遣いでしかない。

一方、サンフランシスコを今日のハイテクタウンに育て上げたエドウィン・マー・リー市長は、ホテル組合やタクシー組合といった既得権勢力に対して死に物狂いとなって戦った。Uber や Airbnb もリー市長が規制を取り除いたからこそ、サンフランシスコで起業し、世界を制覇できた。サンフランシスコは、朽ちかけた倉庫や工場の跡地、既に建て替えが必要な古いオフィスビルに囲まれたカビ臭い古い街から、世界が憧れるハイテクタウンへと蘇った。10年前にサンフランシスコ空港に着くと、到着ゲートには「サンフランシスコを世界のイノベーションの首都へ」と書かれた横断幕が掲げられていた。

この横断幕に誘われて、私はサンフランシスコ市庁舎を訪れて、サンフランシスコ市の改革を推進する女性の担当者に会った。彼女は「サンフランシスコ市は小さな都市で、多くの人手も多額の予算もありません。だから、まず、そうした前提でできることからはじめるのです。現在、誰も使っていない古いオフィスビルや倉庫を安く借り上げて、市の費用で最低限のリノベーションを行い、清潔な仕事場として、新たに起業する若者たちに積極的に貸し出します。そして、未だ事業が軌道に乗っていない、彼らの住民税を免除します。私たちが、今、できることはそんなことしかありません」と語った。

私は、実際、その現場を見に行った。Twitter社は、波止場に面した古いオフィスビルの幾つかのフロアを間借りしており、社員の主たる福利厚生施設は、質素な無料ランチを提供する食堂だけだった。Airbnb社の本社は港の近くの巨大な倉庫をリノベーションした建物だった。創業者が美術大学の卒業者だったこともあり、デザインは斬新だが大変親しみのあるオフィスだった。最上階の天井はガラス張りで、そこから入ってくる強い日差しを避けるために、各人の机にはカラフルな日除けの傘が立てかけられていた。そうした遊び心が社員たちのイノベーションを生み出すのだろう。さらに驚いたのは、Airbnb社玄関の受付前の床にあった線路である。倉庫だった時代に貨物列車の引き込み線が通っていたに違いない。普通だったら、リノベーションで床の線路跡など隠すか撤去するだろう。彼らには、それこそが古い規制を打ち破った誇りだった。

話を元の電子政府に戻すと、マイナンバーカードを使ってコンビニの複合機から住民票や印鑑証明を入手できる仕掛けをデジタル化とは呼ばない。住民票や印鑑証明がなくても本人認証できる仕組ができて、初めて真のデジタル化といえるだろう。本来、公的機関が発行する証明書（住民票や戸籍謄本、印鑑登録証明書）が、別な公的機関への申請手続きに必要だということ自体がおかしい。申請者の個人認証がきちんとできていれば、別な公的機関が保有するデータは自動的に参照できるようにして認証判断をすれば良いはずだ。これだけで、申請者を含めて多くの無駄な人手が省かれるだけでなく、あらゆる手続きの迅速化を図ることができ、社会全体の生産性は飛躍的に向上する。

一方、民間企業でも、全く同じ問題を抱えている。今の業務を、そのままデジタルに置き換えても大きな意味はない。例えば、「ハンコ」を廃止した代わりに電子印鑑でＰＤＦ資料に押印しても、それをデジタル化とは呼ばない。やはり電子署名を使って、初めてデジタル化したといえるだろう。なぜなら、ハンコは書類に記載されているデータが、必要な承認を得ているかどうかの証明として使われているからだ。

そして、業務プロセスに必要な「ハンコ」がすべて押印されれば、その書類に記載されているデータは、承認済データとして、次のプロセスにおいて入力される。現在、日本の事務管理業務で行われている仕事の大半が、このデータの再入力である。データ入力はリモートワークで在宅勤務でもできるが、元の入力データが「ハンコ」で押印された承認済データでないと入力作業ができない。だから、上位幹部社員が「ハンコ」を押すだけのために出勤し、「ハンコ」を押すための資料作成に部下の社員が出勤する。

この「ハンコ」を電子印鑑に置き換えれば、たしかに、社員は承認用書類の作成も配布も在宅のリモートワークでできて、上位幹部社員も在宅で仕事ができるので、大成功と思うかもしれない。しかし、ＰＤＦ書類に電子印鑑を押印するのではなくて、承認申請されているデータそのものに直接、電子署名が行われれば、データ自体が承認済みとして大きな意味を持つ。現在の事務作業プロセスの大半を占めているといわれるデータの再入力作業がなくなるからだ。

業務効率の向上を目指すデジタル化とは、そういうことをいう。問題は、世界の殆どの国では、官民共に、そうしたデジタル化が既に大きく進展していることである。この20〜30年間、世界的に見ても日本の労働者の賃金が一向に上がらないのは、「デジタル化の遅れによって日本の労働生産性が低いためだ」といっても言い過ぎではない。私たちは、もっと人間として価値のある仕事に専念しなくてはならない。

つまり、従来の事務処理プロセスを殆ど変えることなく、そのままデジタル化しても、それはデジタル化とは呼べない。真のデジタル化とは、これまでの仕事の手順を抜本的に変えることによって、その効果が現れる。現在、経産省が促進しているＤＸ(Digital Transformation)の本質とは、もう独自の業務プロセスにカスタマイズしたアプリケーションの開発をやめるべきなのだ。市販されている標準的なパッケージソフトに仕事の手順を合わせるほうが経済合理性があり、メンテナンス費用も節約できて、事業継続の観点で安全性も高いのだから。

しかし現在、多くの民間企業は、経産省の指摘どおり、もはや自社専用のＩＴシステムを所有せずに、クラウド上のパッケージソフトで運用しはじめている。とくに社員を出勤させないで済むクラウド化の動きはコロナ禍において一層進展した。日本の中小企業60万社へ業務パッケージを供給している、あるソフトウエア企業の話では、コロナ禍がはじまる前の２０１９年度はクラウドの利用は20％にしか過ぎなかったのが、コロナ禍が激しくなった２０２０年には大きく逆転してクラウドの利用は80％になった。２０２１年度は、日本の中小企業は１００％クラウド化し、ＩＴ利用の官民格差は、ますます拡大する。

デジタル庁が果たすべき本質的な役割は、事務処理の運用プロセスをデジタル化の恩恵が受けられるよう抜本的に変えることにある。麻生太郎財務相は、森友問題の国会答弁で「今後、すべての文書をブロックチェーンで管理し、改ざんなど絶対にできないようにします」と述べた。今、思い出しても感動するほど素晴らしい答弁だった。ブロックチェーンで文書管理をすれば、改ざんや廃棄、隠蔽など、これまで問題になった不正行為は一切できなくなる。オープンで透明性が高く、国民から信頼される政府が出現するだろう。デジタル化による行政の効率化には、個人情報の取り扱いが欠かせない。それを推進するためには、国民から信頼される政府であってこそ実現できるテーマである。

最低賃金は引き上げられる
～アフターコロナのバブルとは

２０２１年4月15日。日本商工会議所（日商）など中小企業3団体は、コロナ禍で中小企業の業績や資金繰りが厳しい状況を踏まえて、最低賃金を引き上げないよう政府与党に働きかけることを決定した。日商の調査では、現行の最低賃金ですら負担になっている中小企業は55％で、宿泊・外食産業では82％にも上ると、むしろ現行の最低賃金の引き下げを要望。この日経記事を読むと、各企業ともコロナ禍で倒産寸前の状況に追い込まれ、やむを得なかったのではないかとも思う。

一方で、菅政権は安倍政権に続き、賃金の引き上げを狙い、菅首相は２０２１年３月に行われた施政方針演説でも、最低賃金の全国平均を９０２円から１０００円に引き上げると述べた。しかし、この政策は、本当に正しかったのだろうか？　一方で、日銀の黒田総裁は2％のインフレ政策は、まだ諦めないで大規模金融緩和を続けると言った。

2021年4月27日 アメリカのバイデン大統領は、連邦政府と契約する企業は労働者の最低賃金を時給15ドルまで引き上げなければならないと述べた。つまり、アメリカの連邦政府は、今後、それより低い時給で働かせている企業とは契約しないと言ったわけだ。これまでの最低賃金が時給10・95ドルだから、じつに37%という驚くべき率の賃金引き上げである。バイデン大統領は、アメリカ経済はコロナ禍で深刻な打撃を受けており、これを打開するための最も有効な施策は賃金の引き上げだと述べた。

もちろん、最低賃金が引き上げられれば、当然、連邦政府の公共事業費の調達額は上がるので、これがアメリカの景気対策であった。アメリカ政府は、従業員の給与を引き上げる前提で公共事業に入札させると言ったわけだ。そのための予算措置として企業の法人税増税、富裕層の累進税率の引き上げ、金融取引税の増税を計画し、アメリカが社会主義的色彩の強い新・資本主義へ進む大転換となると予想される。これこそ、バイデン大統領の当選に貢献したアメリカの新世代（ミレニアル世代・Z世代）の主張、そのものである。アメリカの若い世代は、日本の若者より遥かに政治的アクティビストである。

それにしても、「すぐにも倒産しそうな中小企業が本当に賃金を上げられるのか？」との疑問もあるだろう。その答えは「商品やサービスの値上げ」である。そんなことをすれば、他社にお客を取られるかもしれないという懸念もあるだろう。しかし、値上げをしないで採算に合わない商売を続けた企業は、遠からず潰れる。結局は、賃上げをした企業はどこも値上げをせざるを得ない。そうすれば２％インフレも実現できるではないかと思ったのは私だけではない。経団連の幹部連中にも、そう言っている人は決して少なくはない。

日本は、過去20年間殆ど賃金水準が上がらなかった稀有の国である。むしろ平均所得は下がっている。コロナ禍で落ち込んだ経済を再建するために１００兆円も２００兆円も使うなら、もっと抜本的な景気対策をして欲しいと思う。日本が、世界で唯一、インフレにならないで、デフレスパイラルが続くのは、国民の所得が増えなかったからだ。金融緩和を行って株と不動産を上げても一般市民の所得には全く反映されない。トリクルダウンという幻想は、もはや捨てるのが正解だろう。

さらに日本では、国連から奴隷制度と非難されている技能実習生制度がある。この制度が、日本の最低賃金が上がることに対して負の影響を及ぼしていることは想像に難くない。一向に上がらない日本の賃金に対して、どんどん上がる一方の東南アジアの賃金水準を見ると、技能実習制度はいつまで持続可能なのだろうか? かつてメガバンクのトップを務めた私の知人が、先日、人手不足で悩む取引先企業のために東南アジアで人材をリクルートする会社を立ち上げようとフィリピンとインドネシアを訪問し、現地の実情をヒアリングしたのだという。その結果、両国とも、「今後、日本に積極的に稼ぎに行きたいと言う若者が急激に減っている」と聞いてショックを受けたという。

彼らは、日本よりドイツや中国を希望している。両国とも報酬は日本より遥かに高額である。ドイツの国内事情からいえば、フィリピンはキリスト教徒が多く、インドネシアも穏健なムスリムが多いので、治安を考えた時に安心だという。中国での仕事は富裕層の介護である。一人っ子政策の中で、小さい時から可愛がられる一方で育った中国の若者は、逆にお年寄りを優しく介護するという気構えがない。技能実習制度は、日本の外から崩壊しはじめている。結局、人手不足を解消するには、日本国内で募集するにせよ、外国から招聘するにせよ、最低賃金を上げるしか解はない、といえるだろう。

脱炭素問題の行方
～二酸化炭素は国際通貨に

２０２１年４月22日時点で菅総理大臣は、アメリカ主催の気候変動サミットにおいて、２０３０年度の温室効果ガス目標として２０１３年度比で46％削減するという衝撃的な発表を行った。これは、２０２０年秋に総理大臣就任時に宣言した「２０５０年カーボンニュートラル」に向かってのマイルストーンとなっており、従来の目標を7割以上引き上げるという大変意欲的なものであった。コロナ禍の中で、唯一、明るいニュースだった。欧米各先進国がコロナ後の経済復興政策としてグリーン・ニューディール（自然エネルギーや地球温暖化対策に公共投資することで、新たな雇用や経済成長を生み出そうとする政策）を掲げていたことと整合しており、その政策自体に対して全く異論はない。

２０２０年４月20日、世界中で新型コロナが蔓延し、日本でも第１回緊急事態宣言が発令された直後に衝撃的なニュースが世界中を飛び回った。ニューヨーク先物原油価格WTIが、史上初めてマイナス価格になったのだ。コロナ禍で需要が激減した原油市場で、先物としては誰も引き取り手がいなかったということである。原油を注文したらお金を払うのではなくて、お金が貰えるというのは不思議な話でもある。しかし、どこも引き取り手がいない原油を購入したら、それを蓄えておく貯蔵タンクを借りなければならない。マイナス価格は引き取り手のない原油の保管代というわけだ。

この前代未聞の事件は、航空機による移動が制限されるだけで、これほど大量の石油が余ったということを世界に知らしめた。航空業界や鉄道業界の方々には大変お気の毒ではあったと思うが、この異変は、多くの人々がコロナ禍で苦しむ中、「脱炭素」という大きなチャレンジが将来成功するかもしれない、という希望の灯にも見えたのである。暗い世相の中で、唯一進展した課題解決の動きが脱炭素化の問題ともいえる。

フランス政府は、巨額の赤字を出したフラッグ・キャリアであるエールフランスを救済するにあたり、以下の三つの条件をつけた。①今後、導入する航空機は省エネタイプを選定すること。②鉄道によって2時間半以内で行ける距離では航空路線を認めないこと。③航空機燃料は再生ジェット燃料を用いること。さらにEU政府は、2020年5月、コロナ禍で深刻な打撃を受けたEU経済の復興を図るための「次世代EUプロジェクト（2021～2027）」として総額7500億ユーロ（約90兆円）にも上る脱炭素プロジェクト（グリーンリカバリー）を承認した。

脱炭素に関しては、以前からヨーロッパが大変熱心であるが、ヨーロッパの人々は脱炭素という正義の名の下に、つねに強かな生き残り戦略を考えている。10年ほど前に排出権取引の話が盛んになった時に、英国の首相が日本政府に排出権取引の導入を迫ってきた。同行した元駐日英国大使は退任後、排出権取引を推進する英国の著名な銀行の幹部を務めていた。英国大使館でのレセプションに参加した私は、日本語を流暢に話す、この元駐日英国大使の話に驚いた。

二酸化炭素排出権は近い将来、ドルやポンドに匹敵する国際通貨になるというのである。従って、この排出権取引は巨大な国際マーケットとなるだろう。「だから日本も早く、この市場に参入して金融ビジネスの活性化を図るべきだ」というのである。英国は、既に多くの産業で国際競争力を失ったが、シティの金融業だけは天井知らずの高成長を果たして、英国経済を支える基幹産業となっている。このシティで、二酸化炭素の排出権取引を結実させ、更なる発展を図りたいという。

　正義を語る美談には、いつも隠れた陰謀が蠢いている。これも10年ほど前のダボス会議での話である。あるアフリカの代表が、途上国に対して先進国は無条件に資金援助を行うべきであると主張した。その論旨は、「地球温暖化がこれほど深刻化したのは、先進国がこれまで大量の二酸化炭素を排出してきたからだ。だから、先進国は途上国の二酸化炭素排出に口出しをする権利はない。これまで大量の排出を行った分の罰金を途上国に支払うべきだ」というのだ。要は「使い道など問わずに、お金だけよこせ」ということだ。そんなお金は、どうせ権力者の懐に入るだけだろうに。

　そうしたことから考えると、ヨーロッパの過激ともいえる脱炭素化への挑戦にも、何かしらの隠れた意図があると思ったほうが良い。もちろん私は、脱炭素化への動きに反対する意図など全くない。むしろ、「地球温暖化を救うため」という倫理的な問題よりも、彼らにとっては、もっと安全保障上の深刻な問題から出発しているだけ、脱炭素問題は後に引けない大きな問題だと考えていると捉えたほうが良いのだ。ＥＵ委員会という統合政府は、予算を持って政策を実行する権限を与えられていない。ブリュッセルにあるEU委員会の主たる仕事は「規制の法制化」である。英国がEUから脱退したのも、規制強化ばかりを目指すEU委員会には辟易したからだ。何しろ英国の繁栄の基礎は、規制に捕縛されない「金融街シティ」にあるからだ。

そうした意味で、脱炭素政策は規制をつくるのが専門のEU委員会には打ってつけの仕事である。頼みの北海油田が枯渇しつつあるEUにおいて、エネルギー政策は喫緊の課題だった。今、EUのエネルギー政策はすべてロシアに喉元を握られている。これまでウクライナを経由していたロシアからの天然ガスパイプラインは大きなリスクを抱えていたが、この度、バルト海の海底を通ってドイツ経由の新しいパイプラインが敷設され、とりあえず危機は脱したが、第2の増設パイプラインはバイデン政権の対ロシア政策によって中止されている。

それよりもEUは、いつまで続くかわからないプーチン独裁政権に、ヨーロッパのエネルギー政策を全面的に委ねること事態が大きなリスクだと考えている。何とかして、独自のエネルギー政策を持ちたいというのがヨーロッパの悲願であった。幸いにして、北ヨーロッパはつねに風が吹く気候に恵まれている。オランダの海面下の国土から海へ排水する風車も昔から有名だ。あの長閑な農村風景にヨーロッパの将来図が潜んでいた。

COP15（第15回気候変動枠組条約締約国会議）に参加するため、2009年デンマークのコペンハーゲンを訪れた時に、デンマークには天気予報がないことに驚いた。毎日雨と曇りと晴れが混在する天候で、一日中風が吹いている。しかも風車の天敵である熱帯低気圧と落雷が全くない。こんな気候風土をエネルギー獲得に利用しない手はない。私は、COP15の会場で、世界最大の風力発電メーカーであるヴェスタスのCEOと会食をした。

私は「日本での風力発電の可能性は、どうでしょうか？」と尋ねた。彼は「私たちは、日本の大手自動車メーカーと日本において共同で風力発電事業を行う可能性について、既に調査をしました。結論から言えば、日本で風力発電の立地条件を満たす地域は非常に限られています。東北地方の北部と北海道だけです。その地域では、いつも良好な風が吹いているのと、風車の天敵である台風が到来する可能性が極めて低い点は好立地です。しかし残念ながら、その地域の電力需要は低い上に、日本では遠隔地への送電能力が限られているので共同事業は断念しました」

ここでヴェスタスのCEOが指摘した、日本における送電システムの問題は非常に大きい。発電システムの脱炭素化を進める前に、じつは送電システムを抜本的に改装しなければならないという課題を、今の政権幹部がどこまで認識しているのかわからない。全く知らないのか？　あるいは知っていて、知らぬふりをしているのか私にはわからない。

ヨーロッパは小さな国がひしめき合って、お互いに助け合いながら生きている。そこにEUが成立する基盤があった。だから電力についても、昔からお互いに国境を越えて融通し合ってきた。ヨーロッパにおける国境を越える送電システムには大きな特徴がある。つまり、隣国の電力会社で発電する電気の電圧や周波数など、最初から全く信用しないシステムとなっている。一方、日本の電力会社が発電する電力品質は世界最高レベルのもので、電圧と周波数は規格から微塵の狂いもない。

他国から供給を受ける電力品質を信用していないヨーロッパの送電網では、送られてきた電力を交流から直流に変換して、基幹送電網は直流送電としている。このやり方は中国も同じで、中国は100万ボルト以上の超高圧直流送電では長距離間での電力損失において、既に世界一のレベルを実現している。こうした送電システムの何が良いかと問われれば、風力発電や太陽光など、お日様任せ、風任せで、電力品質が極めて不安定な再生可能電力には打ってつけのシステムというところだ。

それでは、「日本でも、ヨーロッパや中国で行われている自励式の直流送電を採用すれば良いのでは」と思われるかもしれない。それができないのだ。いや、正確にいえばできなかった。日本の９電力会社は、世界でも類い稀な高品質の電力を供給しているため、お互いの会社間での電力融通においても50Hz～60Hzの周波数変換を除けば、そのまま直結するだけで済んだからだ。日立製作所の元会長で相談役を務めた故・中西宏明氏は、「脱炭素化で再生可能エネルギーを取り込むためには、分散電力システムと直流送電網が必要だ」と主張しており、この送電技術を保有するスイスのＡＢＢ社を７５００億円で買収した。

ＥＶ化による自動車産業の試練

もうひとつ気になる話は、同じくヨーロッパが進めている自動車のＥＶ化である。ここにも、将来に向けたヨーロッパの深慮遠謀がある。ＥＶ化に向けてはヨーロッパと中国が大変熱心であるが、まず中国の話から進めたい。中国では10年以上前から、既に二輪バイクは規制によってガソリンエンジンが排除され、すべてＥＶ化が完了している。それも大変安価である。当初は車に搭載していた鉛蓄電池を積むかたちで走っていたが、最近はリチウムイオン電池に代わり、デザインも大変スマートになっている。

既に車も普及した現在でも、中国では、2億台以上の電動二輪バイクが走っている。とくに長距離を走る必要がない通勤・通学では非常に便利で、職場の駐輪場では必ず充電用のコンセントが設置されている。こうした中国政府の電動バイクを普及させた政策は、大気汚染防止という意味も大きいが、本質は日本メーカーの排除である。ガソリンエンジンの二輪バイクは日本メーカーの独壇場である。ホンダ、スズキ、ヤマハ、カワサキの4社で世界市場の大半を独占しているが、中国国内では全くその姿を見ない。

自動車産業において、日本とドイツが世界市場をほぼ独占した理由はエンジンだった。ピストンとシリンダーの間に余分な隙間があれば燃料が漏れてしまうし、全く隙間がなければ、くっついて動かなくなる。内燃機関としてのエンジンは高精度かつ超精密度の加工技術を要するので、誰でもできるというわけではない。とくにガソリンエンジンの分野では、ドイツも含めて日本メーカーに勝てる国はひとつもない。

ドイツメーカーの日本車への対抗策がディーゼルエンジンだった。とくに、脱炭素化という指標でディーゼルエンジンはガソリンエンジンに対して優位を保っている。この燃費競争に勝ち抜くために、日本メーカーはハイブリッドエンジンを生み出し、ディーゼルエンジンに対しても圧倒的な優位に立った。さらに、ディーゼルエンジンは排出する二酸化炭素は少ないが健康に悪いといわれる窒素酸化物（NOx）を大量に発生させるという課題がある。これを少なくする技術が、また難しい。ガソリンエンジンはガソリンを燃やすが、ディーゼルエンジンは軽油を使って「空気」を燃やすからだ。「空気」の75%は窒素である。どうしても多量の窒素酸化物（NOx）が生じてしまう。

この難題を解決しようとして行われたのがVW（フォルクスワーゲン）の不正だった。日本と異なり、ドイツでは大手部品メーカの Boschが、エンジンシステムのソフトウエアをVWやBMW、メルセデスの各社へ供給しているため、この問題はVWだけでは済まなかった。そうなると、ディーゼルエンジンで日本車を圧倒するというドイツの自動車メーカーの戦略は先が見通せなくなった。そこで、登場したのがEV化である。どっちにしても、脱炭素化の波を凌ぐにはEV化しかない。だとすれば、EUとしては、早くEV規制を強化することによって、ハイブリッドも含めて日本車を排除するほうが得策と考えたに違いない。

もちろん、日本メーカーもEV化に対しては、ヨーロッパはもちろん、中国や米国に対しても決して引けを取らない技術力を持っている。ところが、日本の自動車メーカーには特有の「系列企業」と呼ばれる多層のピラミッドシステムがある。世界一のガソリンエンジンは、こうした「系列企業」の高精度な加工技術に支えられてきた。EV化は、日本の自動車産業特有のエコシステムを一気に破壊してしまう可能性がある。

コロナ禍で一気に進展する脱炭素化の動きは、人類にとって大変好ましい変革ではあるが、日本の自動車産業界にとっては、厳しく大きな試練が待ち構えている。

ジェンダー・ギャップからの脱出

世界で女性が首脳を務めている国は、ニュージーランド、スイス、デンマーク、フィンランド、ドイツ、アイスランド、台湾とあるが、いずれの国にも共通していえることとは、今回の新型コロナによる致死率が著しく低いということである。もちろん例外はあり、ベルギーがその例だが、何事も例外は必ずある。さて、どうして女性が首脳を務める国のコロナによる致死率は低いのだろうか、ということを考えてみるとともに、世界160カ国の中で120位と、圧倒的にジェンダー・ギャップが大きい日本が抱える問題についても考えてみたい。

国の首脳にとっての重要な役割として、国民を外敵から守るという安全保障の問題がある。だから、生まれつき戦争ごっこが大好きな男の子のほうが女性よりも国の首脳には向いているとの考えもあったかのもしれない。しかし、安全保障とは、敵国が侵略してくるという問題よりも、今回のコロナ禍のようなパンデミックの問題や、大災害による住宅危機や食糧危機という問題のほうが、より現実的である。とくに、コロナ禍という感染症問題は、医療問題と生活スタイルという生活に密着した問題であるとすれば、男性より女性のほうが長けているのは想像に難くない。仮に戦争の問題を考えてみても、二度の世界大戦で亡くなった兵士の死因は銃火器によるものよりも、感染症や飢餓によるもののほうが遥かに多かった。

経済と感染の問題を二律背反の課題のように言う人がいるが、それは明らかに間違っている。人の生死は取り返せないものであり、落ち込んだ経済は、また復活させることができる。そういう言い方をすると、「経済でも人は死ぬ」と反論する人がいるが、それも間違っている。感染防止のための規制で経済が低迷し、職を失った人や収入が減った人への十分な支援ができないから死を選択する人がいるわけで、経済全体を救済するのではなく、個人を救済する選択を行うほうが正しいはずだ。ドイツのメルケル首相は、「芸術は国家にとって必須である」として、芸術家「個人」に対して手厚い救済を行ったことは記憶に新しい。

日本も含めて多くの先進国の経済は、現在ＧＤＰのおよそ6割から7割が消費者主導の経済であり、生活に密着した産業で占められている。こうした生活産業に対する感性は、女性のほうが男性より遥かに高い。かつて日本を支える産業は重厚長大な製造業だった。大手町の経団連会館に同居するのは鉄鋼連盟、石油連盟、電気事業連合会と、戦後日本の高度経済成長を支えた基幹産業の組織である。歴代の経団連会長も、こうした産業組合の長から選ばれている。しかし、今の日本の産業構造は消費者主導のビジネスである。毎日、妻がスーパーで何を買っているのか？　子供たちが何を欲しがっているのか？　そういったことに全く興味もなく知見もないオジサンに、国の産業振興を語ることはできない。

戦後の日本経済を高度成長に導いたのは、たしかに男らしい重厚長大産業であり、それを支える24時間働ける男どもだった。しかし、鉄鋼、造船、重機械といった日本を支えた基幹産業の殆どが韓国へ移転し、今それが韓国から中国へと移りつつある。考えてみれば、韓国も日本と同じように、ジェンダー・ギャップが大きい男社会である。韓国で１００万部以上売れたチョ・ナムジュのベストセラー『82年生まれ、キム・ジヨン』（筑摩書房）を読んで「韓国って、なんと女性蔑視の酷い国なのだ」と憤った後で、よく考えてみれば日本も大して変わらないと反省した。それゆえ、一時日本を追い抜く勢いだった韓国も、「日本の失われた20年、いや30年」の後追いをして、日本以上に経済の低迷が続いている。

私は、このバブル崩壊後の20年とも30年ともいわれている日本経済の低迷の原因のひとつが、このジェンダー・ギャップだと思っている。重厚長大の製造業から消費者主導のサービス業へと経済構造が大きく変化している中で、「会社経営の中枢が相変わらずオジサンばっかりの男社会で、男女の意見が取り入れられるバランスのよい社会ではない」としたら、目まぐるしい世の中の変化に対応できるわけがない。そう、ジェンダー・ギャップが大きいということは「女性に対して門戸を開かない」というだけではなくて、「変化を嫌う」ということを意味しており、それは「若者の登用」に対しても寛容ではない。

私は、富士通在職中に、女性幹部社員研修のメンターを何度か頼まれた。この研修は管理職登用直前の女性たち6～7名をグループとして集めて実施されるものだった。この制度の特徴として、メンターとなるべき役員を自分たちの意志で選べるというもので、選ばれる者にとっては大変名誉なことであった。この研修の中で、女性たちが一番不満に思っていたことは、女性であることに過度に配慮して挑戦する機会を与えられないということだった。

それで、いざ管理職研修の最終選考の段階になると、女性候補者は男性候補者に比して「彼女は修羅場をくぐっていないからね」という理由で落とされるケースが少なくないという。「大体、女性だからという理由で修羅場に置いてくれなかったじゃない。それで、いざとなると修羅場をくぐってないからって、どういうことなの?」と怒るのも当然だ。女性を大事にするというナイト精神は、むしろ女性の自立を妨げることにもなる。

富士通を辞め、富士通総研というコンサルファームに移ってから、私は多くの女性コンサルタントが男性以上に活躍しているのを見て嬉しくなった。コンサルタントとして成功している彼女らの担当は、決して化粧品や食品スーパー、生協など、生活感覚が鋭い女性が得意な消費者向けビジネスだけではない。日本を代表する製造業の事業継続プランなど、多岐にわたっている。とくに驚いたのは、彼女たちの顧客に対するスタンスが、男性とは大きく違うことである。

多くの場合、男性のコンサルは慎重である。万が一、顧客の弱点をストレートに突いてしまえば、顧客の怒りを買って出入り禁止になってしまうかもしれないからだ。

そのため最大限の忖度を働かせ、急所の周囲から少しずつ攻めていく。分析結果の結論も、できるだけ顧客が望むようなかたちに沿って纏めていく。こうしたやり方が顧客との関係を長期的に維持する仕事の仕方だとわきまえている。

しかし、女性の場合はだいぶ違う。男性に比べて、キレの良い仕事をしないと「やはり女はダメだ」と言われるかもしれないので、最初から直球で急所の弱点を指摘する。もちろん、顧客は良い気持ちはしない。指摘されなくても、何となくわかっているからだ。それが、男性だったら「出入り禁止」にしているかもしれない。しかし顧客は、そこで自制が効く。「女を相手に、いちいち腹を立てていたら、みっともない」と思うのだろうか。一応、最後まで話を聞いてみる。

よく話を聞いてから、冷静になって考えてみると、彼女の言っていることは正しいし、やはりそこから変えて行くことが近道だ、と悟る。コンサルとしては大成功である。顧客も、この成果を評価してくれて、またリピート商談を獲得したという。「凄い、良かったじゃないか」と私が励ますと。「いや、お客さん、もう私と何十回も話し合いをしているのに、私の名前を覚えてくれないのです。会議で、いつまでも私のことを〝彼女〟と呼ぶのです。やはり顧客は、まだ一人前に扱ってはくれてはいない」

こうしたジェンダー・ギャップが、より大きいのが地方の町や村である。地方創生の掛け声のもとで実施された多くの地域経済再生の試みが、失敗に終わっている。町や村から人口が流出していく限り、どんな施策も成功しない。高校卒業後、都会で働いたがうまくいかなかったとして地方に戻ってくるのは、男子が約50％だが女子は20％にも満たないという。女子にとってはジェンダー・ギャップが大きい地方で自分を生かしてくれる機会を見つけるのが殆ど困難だからだ。せっかく戻ってきた男子も、女子がいないことに落胆して、また都会へ逆戻りしていく。

こうした地方の課題を解決した徳島県上勝町の葉っぱビジネス（*1）に関して、株式会社いろどりの社長である横石知二さんから聞いた話が印象的だった。上勝町の町内会は顔役の男性ばかりで牛耳られており、寄り合いを開けば、祭りなどの催しの計画ばかり立てて、いかに町から補助金を捻出させ、そのお金で飲み会を開くかということばかりだったという。つまり、男たちは一度リタイアすると、生活力がなくなってしまう。一方、何歳であっても生活感覚旺盛な女性たちは、横石さんの呼びかけにすぐに乗ってきたという。高級料亭が求める「葉っぱ」の注文は、それぞれ種類、色、大きさなどが全く違う。お婆ちゃんを含む女性たちは、それぞれの個別注文が入ったタブレットを手に持って山に入り、料亭の要望に応じた「葉っぱ」を探して採集した。

当時マイクロソフトのＣＥＯだったスティーブ・バルマーがわざわざ上勝町まで見学に来たのは、「これまで高齢者にはＩＴ機器が簡単には使えないとされてきた〝デジタル・デバイド（情報格差）〟を、上勝町がどのように解決しているのか？」だった。その答えはじつに簡単なことだった。女性は男性と違って、収入が得られるのであれば、どんなに困難なことでも新たな挑戦に挑むのである。何しろ、一番稼ぐお婆ちゃんは年収一千万円にも到達したのだから。

一般的に女性は男性に比べて革新的である。保守的でいたら、いつまでも自分たちの地位は改善されないからだ。しかしそのことが、政権でも会社でも、既存の権力者にとっては疎ましい。「女性は発言が長すぎる」という失言が、大きな話題となったこともあった。一般的に、女性は重要な会議のメンバーになる機会も少ないし、運良くメンバーに選ばれても発言を求められる機会も少ない。だから、せっかくの発言の機会に自分の主張をきちんと話したいと思っている。その発言内容も、それまで男性たちが話していたことを打ち破る革新的な内容にしたいとも思っている。発言が長くなるのは当たり前だ。それを無視するなら、世の中は今までと何も変わらない。コロナ禍で世の中を変えなくては、どうにもならないという機運が世の中に満ちたこの流れをきっかけに、ジェンダー・ギャップはどんどん解消されていくだろう。

（*1）日本料理を美しく彩る季節の葉や花、山菜などを、〝つまもの〟として栽培・出荷・販売する農業ビジネス

カジノ産業の顛末

２０２０年5月12日。世界最大のカジノ運営会社ラスベガス・サンズ社が日本市場参入を断念する声明を発表した。サンズ社は、既に大阪府・大阪市からの招請を断っており、横浜市に焦点を絞ってきたと思われてきた。このサンズ社の日本市場撤退声明はカジノ推進を図ってきた林横浜市長にとっては大きな衝撃だったに違いない。たしかに、この度のコロナ禍によって、ラスベガスだけでなく、マカオ、シンガポール、モナコなど世界中のカジノ市場で閑古鳥が鳴いていた。

さて、サンズが日本市場進出から撤退したのは、この度のコロナ禍の影響だけだったのだろうか？　じつは、コロナ禍以前から世界的にカジノ不況ははじまっていた。まさにピーター・ドラッカーのいう「既に起こっていた未来」である。とくにラスベガスの衰退は顕著で、テスラがパナソニックとの合弁で、ラスベガス近郊に建設した世界最大の自動車用電池工場「ギガファクトリー」は、このカジノ不況を補うものとして。ネバダ州政府からも大きな歓待を受けた。そのラスベガスの数倍の規模を有していたマカオにもサンズは進出していたわけだが、多額の公金持参で資金洗浄をしていた中国人が、習近平政権の汚職取締り政策ですっかり姿を消して、ラスベガス以上に深刻な状況となってしまった。

つまり、IR政策と称してカジノを招いて日本経済の再生を図るという国家政策は、とっくの昔に時代遅れだった。まず、ラスベガス・カジノが、なぜ衰退したかを考えてみると、その理由は2つある。ひとつは、「インディアン・カジノ」の存在である。「インディアン」という言葉は、本来は「ネイティブ・アメリカン」という表現が正しいわけだが、1988年に連邦議会で成立した「インディアン賭博規制法(IGRA)」に「インディアン」と明記されているので、ここでは、その「インディアン」を使わせてもらう。

この法律が施行されて、アメリカ全土で562のインディアン部族が377カ所の居留地にインディアン・カジノを設立して年々成長を遂げ、今では年間売り上げ1兆6500億円にまでなり、当然、ラスベガスの顧客はインディアン・カジノに取られている。元々アメリカ連邦政府はインディアンに対して大きな負い目があるので、居留地には治外法権ともいえる大幅な自治権を持たせている。カジノのようなギャンブル・ビジネスは、法律の規制がないほうがビジネスはやりやすい。その意味で、日本は一応まともな法治国家なので、サンズなどのカジノ運営会社から見たらビジネス環境として必ずしも好ましい国ではなかったのかもしれない。

ラスベガスのカジノビジネス衰退のもうひとつの理由は、客質の変化である。これまで大きな収入源だったディーラーを介したルーレット、ブラックジャック、ミニバカラといった大金が動くビジネスが大幅に縮小してしまったのだ。これはインディアン・カジノも同様である。つまりカジノが富裕層の社交場から、ギャンブル依存症たちの賭博場へと変化した。ギャンブル依存症の人たちは、カジノ・ディーラーのような対人行為を好まない。むしろ、長時間、無言でスロットマシンと向き合って自己陶酔に浸る環境のほうを好む傾向にある。統計によれば、ラスベガス・カジノの顧客の大半は、ラスベガス・カジノに関わる従業員だともいわれている。彼らは、長時間マシンの前にいるが小額の賭けに専念しているので、カジノにとっては決して上客とはいえない。つまり、客は入っているがさっぱり儲からないのである。

さらに、自己陶酔型ギャンブル依存症の人々は、お金を儲けようと思ってやっているわけではない。彼らは極めて冷静で、ギャンブルで金儲けができるなど微塵も思っていない。スロットマシンに向かって、ひたすら打ち込んでいる陶酔状態が大好きで、薬物依存にも似た嗜好を持っている。別に大金を賭けて多額の借金をするわけではないので、大きな問題ではないという指摘もあるかもしれない。たしかに彼らは、多額の「お金」を失っているわけではない。しかし、膨大な「時間」を失っているのだ。

そして、ギャンブル依存症の人々を相手に大儲けをしてきたカジノ・ビジネスの最大の競争相手が出現した。それが、スマホ・ゲームである。さらに、ビジネスの競争条件も変わってきた。「お金」を奪う競争から「時間」を奪う競争に変化したのだ。スマホ・ゲームはオンラインであれ、オフラインであれ、いつでもどこでもできる。お風呂でもベッドでも、電車やバスでの移動中もできる。コロナ禍で「3密」が禁じられ、パチンコ店のように閉店要請されるわけでもなく、自宅軟禁状態でも全く問題ない。じつは、それが大問題となる。

世界大恐慌以来の不況の中で、唯一躍進している産業はゲーム業界である。大人も子供も、コロナ禍で自宅軟禁状態になり、することがないので、ゲームでもしようかということになった。徐々に、そして確実に自己陶酔状態に浸るギャンブル依存症になる。このギャンブル依存症に陥ると、その回復は容易ではない。

コロナ禍は、まだまだ四次、五次拡大の恐れがある。また、たとえ収束しても、次のパンデミックの到来も、それほど遠い時代ではないだろう。私たちはこうした中で、非接触状態を保ちながら、もっと人間らしい関係を維持できる社会やシステムを模索していくのだろう。

活況続く、不動産市場

２０２１年初頭。東京都の新規感染者数が２５００人／日を超えるなど、首都圏は第三波に襲われていた。その最中、コロナ禍で1年以上も問い合わせすらなかった賃貸用マンションが、突然売れたのだ。２０１３年に取得してから6年間ほど貸していたが、「東京五輪が終わった後は不動産が暴落する」との噂を聞いて、２０１９年末に売りに出した。しかし運の悪いことに、その直後から世界中で新型コロナが蔓延しはじめて、引き合いは全くなかった。

こんな１００年に一度のパンデミックが到来したのだから、簡単に売れはしない。私は、もう慌てても仕方がないと腹をくくった。一般的に不動産を購入する時は、いくつかの候補を見比べて慎重に選択をするものだ。こんな感染のリスクがある中で、不動産屋と一緒にあちこち内覧するなど考えられないだろう。案の定、不動産屋が毎週メールで送ってくるインターネットの引き合い件数も、悲しいかな、いつもゼロが続くばかりだった。

それが、酷い状況になった第三波のピークで突然売れるとは、一体どういうことだろうと思った。その物件は法人所有だったので、近くの法務局の支所へ向かい、会社の登記謄本である全事項証明書と印鑑登録書を発行してもらいに行った。まず、駐車場に入ってビックリした。田舎の法務局にしては多すぎるほどの30台分はある駐車場に全く空きがない。しばらく待っていると一台出庫したので、ようやく駐車する。この法務局には何度も来ているが、こんなことは一度もなかった。

受付事務所に入ると、さらに驚いた。立錐の余地もないほどの混みようである。おそらく、全員が不動産屋であろう。「世の中は、皆でステイホームと叫ばれて、通勤もやめてオンラインで在宅勤務という中で、どうしてこんなに不動産取引が活況なのか？」と驚いた。たしかにいろいろ調べてみると、高級新築マンションも、手頃な価格の中古マンションも、活発な取引で売れまくっていた。株が高騰して確定した利益で高級マンションを購入する人がいる一方で、職を失ったり、収入が減ってローンの支払いができなくなり、自宅を手放す人が増えていたからである。

私が売却した物件（手頃な価格の中古マンション）を購入したのは、その物件からすぐ近くに住む母娘だった。娘さんは、一見すると30代で、とても精悍な印象であったので、きっと仕事のできるキャリアウーマンに違いない。私の独断的な想像だが、多分この娘さんは独身で、1年以上も長引いた在宅勤務を、もっと快適に続けるためのリモートオフィスとして購入したのではないか。むしろコロナ禍が長引いたからこそ成立した不動産取引だったのだろう。

そう考えてみると、あの法務局で見た大勢の不動産屋が抱えている取引も、コロナ禍だからこそ、生じたものだったのだろうか？　法務局のある横浜市青葉区は東京から近いが、その周囲は田園風景である。コロナ禍で東京から避難するために横浜へ引っ越して来るのか？　それとも、横浜からさらに別の場所へ避難するために売却するのか？　その両方かもしれない。新たな働き方だけではなく、新たな住み方をも生み出したコロナ時代。これからは過疎地だけでなく、都心にも増加している空き家を活用できる可能性も出てくるに違いない。

1億総ノンアルの時代へ

　このコロナ禍で最も苦しんでいた業種は、居酒屋ではないだろうか？　狭い店舗で飲酒をしながら、お互いに長い時間会話をするというのは新型コロナウイルス感染環境としては最悪である。むしろ、お互いに無言でひたすら盤面に向かうパチンコ業界のほうが遥かに安全と思われる。その居酒屋業界は今後どうなっていくのかを、「既に起きている未来」から考えてみたい。それは、日本人の飲酒習慣の推移を見てみればわかる。

　もともと日本人は欧米人に比べると、遺伝的に見てアルコール分解能力が著しく弱い。言い換えれば、多くの日本人は元来下戸だった。ところが終身雇用という村社会で暮らす日本人サラリーマンは、下戸というハンディを長年にわたり、「無理して酒が飲めるように」鍛えてきた。今から20年前、40歳代から50歳代の日本人男子の平均的な飲酒習慣は60％を超えていた。しかし令和の時代には、20歳代から30歳代の日本人男子の飲酒習慣はたった16％しかない。つまり、今の日本の若者は６人に一人しか酒を飲まないのだ。

よくいわれることだが、「最近の若者は職場の飲み会に参加しない」「今の若者は忘年会をスルーする」ようだ。彼らはもはや、苦労して飲酒習慣を身につけようとは考えていない。つまり、上司の説教を聞きながら、好きでもない酒を一緒に飲むのは苦痛でしかない。もはや「飲みニケーション」などという習慣は職場のパワハラなのである。従って、アフター5に「ちょっと飲みに行くか?」という上司の誘いは全く嬉しくもない。上司の悪口を言ってウサを晴らす居酒屋という存在は、今の中高年がリタイアした後、どうなっていくのだろうか。

20年前にシリコンバレーに着任した時、一番驚いたのは日本との喫煙習慣の違いだった。幸いなことに、私は米国転勤の数年前に体調を崩し、20年以上も続いていた喫煙習慣を断っていた。当時、カリフォルニア州は米国でも喫煙に対してとくに厳しく、職場でも飲食店でも、屋内での喫煙は禁止されていた。さらに厳しいのは、喫煙に対する社会的な評価だった。喫煙習慣のある人は依存症的性格の持ち主として、政治家としても経営者としても失格だという評価で、喫煙依存症と薬物依存症、アルコール依存症は同類という考え方である。アメリカでは大麻の合法化が進められているが、それは大麻のほうが、タバコやアルコール、あるいはオピオイドのような薬物依存症よりは遥かに害が少ないと考えられているからだ。

その当時から、喫煙に対しても大変厳しいシリコンバレーだったが、数年前からとくに、若い人たちの中でアルコールを飲まない人が増えていると聞いている。たしかにシリコンバレーでは、もともと車通勤だということもあるのか、会社が終わった後にみんなで飲み会に行く、という習慣は全くない。それよりも家族団欒の中でワインでも飲んだほうが良いと考えているのかもしれない。しかし、いろいろ人から聞いてみると、彼らが飲酒を好まないのはもっと切実な理由からだった。

彼らはみな、一攫千金を狙って、世界で最も厳しい頭脳を使ったイノベーション・レースを戦っている。そこで勝ち抜くために、職場でも家に帰っても、一日中頭を動かしている。その大事な脳をアルコールに浸して、性能劣化させることを恐れている。そんな話を聞いたら、おそらく多くの日本人は、「そんなに一日中頭を使っていたら、気が変になるでしょう。たまには息抜きに、お酒でも飲んで気晴らしをするのも精神の健康には大事じゃないの」と仰るに違いない。もっともなことである。しかし、シリコンバレーの若者たちは全く別な発想をする。

今、シリコンバレーの多くの若者たちが、疲れた頭を癒すために行っていることは瞑想（Meditation）である。彼らが師と仰ぐスティーブ・ジョブズが、窮地に陥った時に禅寺で座禅の修行を行い、瞑想に耽ったという逸話が神話のように染み付いている。シリコンバレーで起業を目指す若者は、われわれの想像以上にストイックである。社会保険や医療保険にも入っていない彼らだからこそ、健康を非常に大事にしている。こういう事実を知ってか知らずか、日本の若者たちも同じような道を歩みつつあると考えたほうが良さそうだ。

日本では居酒屋チェーンが次々と消滅していく中で、勢いを増しているのが、スタバをはじめとしたコーヒー・チェーンである。若者の間で何が起きているのか、少し考えてみたい。今の若者には、職場の同僚と一緒に居酒屋で飲みながら、上司の悪口を言って鬱憤を晴らすという習慣はない。何しろ、上司のパワハラに我慢しながら、長く同じ会社に勤め続けるという考えは全くないからだ。むしろ、カフェでコーヒーを飲みながら、既に転職を果たした友人の話を聞くことのほうが、前向きで有意義だと考えている。彼らは、友人との真剣な会話では、「酩酊よりも覚醒」を望んでいる。

話は変わって、またアルコールの話に戻る。スペインにはシエスタという長い昼休みの習慣がある。もちろん昼寝をしても良いのだが、最近はさすがに、それほど長い時間は休まない。その休み時間の間、多くのスペイン人は、これまでは食事を取りながらビールを飲むのが一般的だった。しかし、スペインでも最近は飲酒運転の取り締まりが厳しくなったので、シエスタの後で運転する人たちは、ノンアルコールビールを飲むようになった。この結果、スペインのビールの7割がノンアルコールになったという。

私も、ゴルフをプレー中の昼食では、最近ノンアルコールビールを飲むことが多い。年齢が高くなったせいか、友人たちも皆、ノンアルコールビールである。このノンアルコールビールが、最近急速に美味しくなった。もう普通のビールと味は殆ど変わらない。ゴルフが終わったら、自分の車で運転して帰らなくてはならないので、気持ち良く酔いたいという気持ちは最初からさらさらない。それでも、運動した後のビールは本当に美味しい。ノンアルコールなら酒税も掛からなくて安いし、これも良いのではと思う。

そう考えると、日本の酒造業界は、本当に凄いと思う。これだけ美味しいノンアルコールビールは世界的にも珍しいのではないか。最近は健康のためと称して、糖質ゼロのビールも出始めた。糖質がゼロでも、アルコールがゼロでも美味しいお酒は魅力的である。日本は、納豆、味噌、醤油と発酵食品大国だ。アフターコロナの時代には、ノンアルコール飲料で夢を語るカフェが乱立しているかもしれない。

アフターコロナで学んだ「寛容である」ということ

2021年3月。アメリカに住む友人たちは、2度のワクチン接種完了によって、1年以上にも及ぶ巣ごもり生活から解放されると考えていた。

しかし全米で広がったアジア人に対するヘイト・クライムにより、そうはいかなくなった。そもそもの発端は、「アメリカにコロナ禍をもたらしたのは中国人だ」として、中国人に対する憎悪に端を発している。アメリカ人から見れば、中国人と日本人、さらに韓国人は全く区別がつかないため、日本人が被害に遭う危険性は極めて高くなった。つまり、ワクチン接種完了後も、気軽に街へ出歩くわけにはいかなくなった。

コロナ禍で注目された黒人差別問題と、このアジア人へのヘイト・クライムは少し様相が違う。後者の加害者は白人だけでなく、ヒスパニックや黒人まで、数多くの人種が加わっていた。他の問題と同じように、コロナ禍は、以前からあった問題をより顕在化させたのだ。アメリカ社会で、他の人種の人たちが抱くアジア人に対する嫌悪感は、以前から存在していた。アメリカへ出張していた当時は私もそれほど感じていなかったが、住んでみるとよくわかる。差別問題というものは、受けてみて初めてわかるものだ。

なぜ、そんなにアジア人は嫌われているのか？　その答えは、アジア人特有の勤勉さにあると私は思っている。多くのアメリカの小学校、中学校ではアジア人の子供が成績上位を独占してしまう。もともと、母国であるアジア諸国では、親が教育熱心なので子供たちの競争意識も高い。そうした文化をアメリカに、そのまま持ち込んでいるからだ。さらに、アメリカにおける人種別所得水準でも、上位は殆どアジア人が占めている。白人やヒスパニックの所得水準は、インド人、中国人、日本人、フィリピン人、ベトナム人、韓国人よりもずっと低い。そうした鬱憤がコロナ禍で病んだ心を爆発させているように思えた。

『タイガー・マザー』（朝日出版社）の著者で、中国系フィリピン人のエイミー・チュアは、父親がカリフォルニア大学バークレー校（ＵＣＢ）に赴任するに伴い、母親と妹との一家でアメリカに移り住んだ。母親はエイミーと妹に対して徹底的な教育ママとなり、「TVは観るな」「ゲームもだめ」「友達と付き合うな」「成績はAしか認めない」などの方針で育てられてきた。ハーバード大学を優秀な成績で卒業し、現在、エール大学教授となったエイミーが書いた最初の本が、厳しく娘を育てる母をモデルにした『タイガー・マザー』だった。この本はいろいろな意味で、アメリカで物議を醸しながらもベストセラーになった。

そのエイミーが、次に出版した本が世界的ベストセラーとなった『最強国の条件』（講談社）である。ローマ帝国以来、多くの帝国が興隆した条件、滅亡した条件を整理した本である。例えば、イスラム教徒に占領されていたイベリア半島をレコンキスタ（キリスト教徒による、イベリア半島のイスラム教徒からの解放運動）によって取り戻したスペインは、そこに住んでいたイスラム教徒に、そのまま住み続けることを認めた。さらに、当時のヨーロッパで最も忌み嫌われていたユダヤ人にも、居住を認めたのだ。そのお陰でスペインは、当時最先端だったイスラム科学により航海術を身につけ、ユダヤ商人からは巨額の資金を調達し、世界の海を支配する海洋帝国となった。

世界制覇に成功したスペインは、キリスト教の盟主になるべく、世界各地の領土へ宣教師を派遣し、強権的に布教活動を行なった。さらに自国から、異教徒であるイスラム教徒とユダヤ教徒を放逐した。スペインを追われたユダヤ人は、仕方なく英国などに移り住んだ。その結果、スペインの無敵艦隊は英国に敗れて、世界の覇権を大英帝国に譲ることになった。まさに、スペインは「寛容さ」によって繁栄を勝ち取り、「寛容さ」を失うことで没落した。エイミーは、帝国の興亡を決めるのは「寛容さ」であると結論づけている。

エイミーは、この「最強国の条件」の中で、育てられた国である「アメリカ」と、自らのルーツである「中国」の双方に対して、最強国であり続けるためにこそ「寛容さ」を失わないようと警告を発している。コロナ禍の中で、アメリカも中国も、国民のレベルまでもが「寛容さ」を失っている。その結果として、アジア人に対するヘイト・クライムが起きていたとすれば、それほど悲しいことはない。だからこそ、今後私たちも、日本で暮らす外国人たちへの「寛容さ」を身につけねばならない。

第二章
未来を見ていた世界

ドイツの国家戦略 Industrie4.0
～ドイツの財輸出はGDP40％に

2020年5月29日。トランプ前大統領は、新型コロナウイルスに対する中国の対応について「情報の隠蔽により、世界に拡散した」と批判し、中国に対して、従来以上に厳しい制裁措置を発表した。米中関係の悪化はコロナ禍がはじまる前から、既に深刻化しつつあった。これはトランプ前大統領が得意とした交渉術の一部であり、いずれどこかで手打ちがあるのではないかという憶測もあった。しかし、中国武漢発とされるコロナ禍で、アメリカが世界最大の感染者数、死者数を出す未曾有の悲劇に見舞われてから、アメリカ市民の中国に対する姿勢は大きく変化することになった。トランプ前大統領が属した共和党だけでなく、民主党までもが中国に対して強硬な姿勢を示すようになった。

このコロナ禍で、ニューヨークで最も多く解雇された人種は、東アジア人（中国人、日本人、韓国人）であったという。われわれ日本人からしたら理不尽だと思うことだが、アメリカ人にとっては、日本人も韓国人も中国人も外観からみれば大して違いもなく、全く区別がつかない。それほどまでに、今や中国はアメリカ人の敵意の的になっている。一方で、習近平政権は南シナ海進出や香港問題など、アメリカを一層刺激する対決姿勢を次々と打ち出した。これは、もはや今後、両国が妥協できる範囲を大幅に逸脱したといわざるを得ない。

さらに、世界は中国がコロナ対策に必要な医療用防護具（ＰＰＥ）や人工呼吸器で圧倒的なシェアを持っていることに気がついた。パンデミックという安全保障上の問題に的確に対処するには、中国への依存度を高めることは大きなリスクであると、世界はようやく認識したのである。今後、世界の交易は、中国を中心とするグループと、アメリカを中心とするグループに大別されていく。さて、こうした中で、日本はどちらのグループに属するかは大変深刻な問題である。日米関係は今後とも重要な関係であると同時に、日本にとっての中国は未来永劫にわたって、切っても切れない至近距離の隣国であり続けるからだ。

このような状況の中で、ドイツの立ち居振る舞いに注目してみたい。ドイツは、こうした米中対決を見越していたかのように、コロナ禍が起きる前から、そのどちらにも隷属しない独自の戦略を編みだしていた。それがドイツ製造業の国家戦略「Industrie 4.0」である。この Industrie はドイツ語であり、英語の Industry ではない。つまり、ドイツは別に新たな製造業システムの世界標準を目指していたわけではなく、「Industrie 4.0」は、ドイツが中国、アメリカと並んで世界3大製造業大国となることを目指した国家戦略だ。

こういう話をすると、読者は、「えー、アメリカが製造業大国なの？ 中国こそ、製造業大国ではないのか？」と思われるかもしれない。たしかに中国は、世界一の製造業大国である。しかし、それは単純生産高ベースの話で、付加価値生産高ベースでは、いまだにアメリカが世界一の製造業大国となる。そして、少し前の２０１６年のデータになるが、世界の財輸出シェアランキングでは中国が第1位で13・8％、アメリカが第2位で9・4％、そしてドイツが第3位で8・7％と、2位のアメリカを猛追している。一方、第4位の日本はドイツの半分の4・2％しかない。従って、ドイツが本気で製造業を強化したら、アメリカを抜いて中国に肉薄するというのは決して夢物語ではない。

しかし、ドイツも日本と同じく少子高齢化の波を避けることは難しく、これまでトルコや東欧からの移民の力を借りて製造業の強化を行ってきた。しかし昨今、移民に対する反発はドイツでも例外ではなく、さらなる移民の受け入れが難しくなってきた。そこで、ドイツの製造業は東欧やウクライナに活路を見いだそうとした。つまり「Industorie 4.0」のＩｏＴ技術を用いて、東欧に進出したドイツ企業の工場が、ドイツ国内にある工場と自律的に連動し、あたかもひとつの工場であるかのように製造する仕組の構築である。

多くの先進国の基幹事業が、製造業からサービス業へ舵を切る中で、ドイツはこれまでにも増して製造業にこだわっている。その証拠に、ドイツの財輸出はＧＤＰの40％にも達している。日本の財輸出はＧＤＰの、たかだか10％にしか過ぎない。さらに、ドイツの輸出高の70％は中小企業の貢献である。つまり、ドイツの国富は中小企業が支えているといっても決して過言ではない。ドイツの多くの中小企業が「隠れたチャンピオン企業」と称されるように、ニッチな分野で圧倒的な競争力を持つ。中国の工場を訪問すると、そこで目にする製造機器は、私たちが殆ど名前を知らないドイツ企業の製品だ。ニッチな分野とはいえども、グローバルにおいて大きなシェアを持てば立派な大事業となる。

くり返しになるが、ドイツの製造業における国策「Industrie 4.0」は、ドイツ国内にある工場と東欧に存在する工場を、あたかもひとつの工場であるかのように自律的に連動させる仕組を持っている。この機能は、異なる中小企業をひとつの企業であるかのごとく自律的に、かつ有機的に連動させることもできる。そして「Industrie 4.0」を企画したドイツ製造業連合の幹事はSAP, Siemens, VW, Boschの4社である。ご存じのようにSAP SEはERP(*2)で世界一のシェアを持つソフトウエア企業であり、Siemensは世界有数の設備製造メーカーで、VWは世界最大の自動車企業である。そして、BoschはVWだけでなく、BMWやメルセデスにまで幅広く、世界中の自動車メーカーに対して横断的に部品を供給している世界最大の自動車部品メーカーである。

つまり「Industrie 4.0」は、Boschに代表されるように横断的な産業連携に極めて有効である。異なる企業の製造工場を、有機的に連携させる仕組みを構築することに意義がある。さて、振り返って日本の自動車製造業を見てみると、トヨタを代表例として、最終組み立てを担う自動車メーカーの傘下に、一次下請け、二次下請けと階層的な下請け構造を構成している縦型のピラミッドを構成している。こうした産業構造は、自動車業界だけでなく日本の製造業の典型例となっている。下請けを担う中小企業は、発注企業からの注文をキチンとこなしてさえいれば、大きく儲かることもない代わりに潰れることもなかった。しかし、このコロナ禍のように、突然世界の需要が大きく激減した時にはひとたまりもない。もちろん、こうした縦型の産業構造には、「Industrie 4.0」が狙いを定めている自律的な工場運営という次世代製造システムは、全く無力である。

ところが、新型コロナウイルスによる急激な発注停止の嵐に襲われた中小企業は、生き残るために縦型社会の枠を超えて新たな挑戦をはじめることになった。それが「製造シェアリング」である。自動車部品製造業界が、これまで全く縁のなかった医療器具業界に対して、一時的な製造受託をはじめたのだ。医療防護具（ＰＰＥ）の製造や人工呼吸器の製造など、必要な部品や製造治具、あるいは最終組み立てまで含めて受託しはじめた。これは単に「工場の稼働率を上げる」という目的だけでなく、従業員の士気向上にもおおいに貢献しただろう。こうした動きを経て、日本の製造業もドイツのように、業種を超えた横断的な水平連携ができるようになると、「Industrie 4.0」のような次世代製造システムの導入も可能となってくるだろう。

コロナ禍による経済の落ち込みは、リーマンショック時の下落率を大きく超えた。さらに、リーマンショックの時の落ち込みは殆どが製造業であり、サービス業は無傷だった。それゆえ、復活も速かったのかもしれない。しかし今回のコロナ禍においては、製造業の下落は、それほど大きくはなかった。つまり、下落の大半は、移動や娯楽、飲食や買い物といった、いわゆるサービス業が占めていた。日本社会は、近年、農林水産業を含む第一次産業から製造業を中心とした第二次産業へ移行し、さらに多くの労働者が製造業から第三次産業であるサービス業へと転職した。

今、この日本の国を支えているのはサービス産業である。コロナ禍は、このサービス産業に決定的なダメージを与えたのだ。この21世紀の人工知能が幅をきかすといわれている時代に、ドイツは「Industrie 4.0」で、再び製造業の復活を真剣に考えており、こうした動きを、そのまま中国は「中国製造２０２５」として、「Industrie 4.0」の中国版を国家戦略に据えた。トランプ前政権が対中貿易バッシングをはじめたきっかけが、この「中国製造２０２５」ともいわれている。日本も、コロナ禍がつくり出した「分断された世界」の中で生き残るには、食を支える第一次産業や、ものづくりで国富を生みだす第二次産業を、もっと大事にしていくよう、見直すべきであろう。

(*2) エンタープライズ・リソース・プランニングの略。企業全体を経営資源の有効活用の観点から統合的に管理し、経営の効率化を図るための手法・概念

YouTube16億回再生
カーン・アカデミーのエリート教育

オンライン教育は、児童や生徒のコロナウイルス感染防止策として大きな注目を集めた。大学生や高校生でも慣れるまでは大きな抵抗があったと思うが、中学生や小学生となれば、そう簡単に馴染むとは思えない。オンライン教育の聴講生としての資質はともかくとして、まずは、「児童や生徒が自分専用のパソコンやタブレットを持っているか?」という問題がある。その次に、受講する家庭にはWi-Fiなどのネットワーク環境が揃っているのか。さらには、学習できる自分の部屋（あるいはスペース）を持っているか。などの様々な問題があげられる。

一方、教える側の問題として、教師は機器の操作方法及び運用方法も含めて、オンライン教育での教え方に精通しているのか、という課題があった。もちろん、教材はどうするのかなども含めると、学校側の課題はまだまだ山積みである。コロナ禍の問題が起きる前から、既に周到な準備を進めていなければ、スムーズなオンライン教育など到底できるものではない。こうした課題に対して、アメリカではどういう手法で解決してきたのかを見てみたい。

アメリカの国家予算は約500兆円で、日本のほぼ5倍である。年々増加し、膨大な規模にまで膨れ上がったアメリカ国家予算の中で、唯一縮小してきたのが教育予算である。アメリカの実業界や政界を支えてきた、アメリカの名門大学やハイスクールは私立なので、教育予算の減少とは全く無縁である。一方で、教育予算の削減の影響を最も受けたのが公立の小中学校だった。とにかく教師の数はどんどん減らされるし、給与も減っていくので教員の質も低下した。そこで、こうした窮状を救ったのがカーン・アカデミーだった。

カーン・アカデミーを創立したサルマン・カーンは、バングラデシュ系アメリカ人としてアメリカに生まれ、MITで数学とコンピューターサイエンスを修得し、ハーバード大学ではMBAを取得している。サルマンは大学を卒業後、金融トレーダーとして活躍していたが、ある時、同じくアメリカで生まれた従妹のナディアが勉強で苦しんでいるのを知った。ナディアは小さい時から医師を目指している優秀な子供だったが、小学校中学年になって急に数学ができなくなった。サルマンはナディアのことがとても心配になったが、なにしろナディアは数百キロも離れたところに住んでいたので、遠隔教育で何とか救える手立てはないかを考えた。

サルマンがパソコンを使ってオンラインでナディアを教えていくと、彼女は数学そのものがわからないのではなくて、ポンド、オンス、インチ、ヤード、フィートといった度量衡の単位が理解できていないことがわかった。勉強というのはちょっとしたことで躓くと、それが原因で一生嫌いになってしまうのだという事実をサルマンは思い知った。こうした壁を乗り越えたナディアは、無事一流医科大学に合格を果たして立派な医師になった。そこで、サルマンはナディアのようにちょっとしたことで困っている子供たちを救おうと、数学の個別指導に使ったYouTubeの動画を無料で一般公開したのだ。それが、全米で大評判となり、サルマンは勤めていた投資ファンドを辞めてフルタイムで教育動画をつくり続け、遂にオンライン教育学校「カーン・アカデミー」を創立した。

サルマンは後に、医師だった妻が「家計は何とかなるから、あなたは好きなことをやりなさい」と背中を押してくれたと語っている。こうして２０１８年までに、カーン・アカデミーのYouTube動画は全世界で16億回以上も視聴され、これをＤＶＤに収録したオフライン版も、貧しいアジアやアフリカの農村で貴重な教材として使われている。こんな話は誰でも感動するわけだが、当然、ビル・ゲイツ財団とYouTube事業を保有するGoogleは、巨額の資金をカーン・アカデミーに提供している。

そうした資金を用いてカーンは、これまでの自習動画にコーチ機能を追加し、ビデオとモニターを通じて教師の指導を受ける機能を追加した。カーンは、従来教室で行われて来た対面教育が、カーン・アカデミーで開発された技術を使うことで、個別指導に時間を割り当てられる学習者優先の授業形式にシフトできると考えている。ナディアが苦しんだように、ちょっとした学習の躓きに対して、個別指導を中心にすることで壁を乗り越えさせ、指導効果を高めることができるのではないか考えている。

今やアメリカの公立小中学校で、カーン・アカデミーの教材を使っていない学校は殆どない。減り続ける教育予算と人材不足に悩む学校側からしてみれば、カーン・アカデミーの存在はまさに福音である。それにしても、世界の超大国であるアメリカの初等中等教育に、貧しいアジアやアフリカの農村に暮らす子供たちを救うツールが役にたつというのは、何とも皮肉なことではないだろうか？　最後に、サルマンが述べるオンライン学習の秘訣について語りたい。

サルマンはYouTubeを使って教材を作成していたため、動画の実演時間は10分間に限定されていた。当初、サルマンはそれが不満だったが、長くやっている間に、子供たちが学習に集中できるのは10分間が限度だと気がついた。10分で理解できないことは、何時間かけて説明しても理解されないのだ。だから、教材で教える内容は10分で理解できる範囲に留めている。

もうひとつ、サルマンは動画の中ではホワイトボードで自らの手で書きながら説明するのだが、顔出しは絶対にしない。「子供たちは、顔が見えたら顔に注意が集中し、ホワイトボードから意識が離れてしまうからだ」という。これも面白い気づきである。もしかしたら、日本のオンライン教材の中には、教師が顔を出しっぱなしというものもあるかもしれない。これでは、多分、子供たちの頭の中には、教師から教えられたことはひとつも残っていない可能性が高い。

このカーン・アカデミーの日本語版も存在しており、カーン・アカデミー・ジャパンという組織も存在する。日本の文科省がどういう評価をしているかわからないが、世界中で大きな評価を得ているサルマンの教え方を、日本の教師も一度見てみる価値は十分にあるだろう。

早かった、イギリスのオープン・オンライン教育

２０２０年2月27日。安倍晋三（前）首相の突然の要請で、全国一斉休校がはじまった。新型コロナウイルスは、人類がこれまで経験したことのない特性を持っている。ワクチン開発が進む中でも、変異株の進化により、新型コロナウイルスと人類の戦いは、これから長期間にわたって続くと考えたほうが良い。だとすれば、経済的打撃は計り知れないものがあるが、もっと心配なのは将来ある子供や若者たちの教育である。育ち盛りの彼らにとって、1年という時間は非常に影響が大きい。日本でもオンライン教育が一般的になったが、オンライン教育とは本来、新型コロナウイルス対策としての一時凌ぎであるべきではない。

そもそも、同じ年の子供たちを一堂に集めて、一人の先生が一斉教育する形式が不自然だと考えたほうが良い。明治政府が導入した今の日本の義務教育は、１８０７年にドイツのプロイセンが富国強兵政策としてはじめた「逃亡しない従順な徴兵候補を育成するための制度」であった。そのため、皆が一定水準の知識を習得することが重

要で、秀でた才能を育むことなど初めから全く考えられていない。むしろ、政府への批判を抑制するための、洗脳教育に主眼が置かれていた。

一方、江戸時代まで行われていた日本の寺子屋は、異なる年代の子供たちを集めて、それぞれの理解の進捗に合わせた個別教育が行われていた。この結果、多くの私塾が、緒方洪庵や福沢諭吉など、明治の日本を支える英才たちを輩出した。今の日本の一斉教育は、優れた秀才たちの発達を抑制する一方で、追いついていくのが困難な子供たちを落ちこぼれさせている。そもそも、1億総平均の教育制度では、国を興すイノベーションなど生まれるわけがない。しかも、一人ひとりの生徒に対しての丁寧な個別教育を、人間の教師に委ねるのは全く無理がある。

これからは、人工知能を駆使したオンライン教育が主流となるだろう。シリコンバレーでは実際に、教育のための技術開発「エドテック（EdTech）」が注目されていて、その中でも一番注目されている技術は、受講者の習熟度の測定である。人工知能（AI）によって受講者の理解が進んでいないと認識された場合には、同じ学習をもう一度繰り返すか、あるいは、もっと難易度の低い学習に置き換えて再履修させることによって、個人に最適な学習システムをつくろうとしている。

さて、アメリカには「不登校」という問題がない。むしろ富裕層の子供たちは、昔から自宅で家庭教師に教育をさせていた。そして1993年、全米各州でホームスクーリングが合法となった。これは、多発する銃乱射事件、公立学校の教師の質劣化の問題などをきっかけとして、オンライン授業によるeｰラーニングが注目を浴びるようなったからだ。現在、アメリカの多くの大学がホームスクーリング卒業生に入学許可を与えている。むしろ、飛び級入学を許可された神童たちの大半は、ホームスクーリング卒業生だともいわれている。同級生に虐められ、先生からパワハラを受けて不登校になってしまった子にも自宅学習する機会が与えられており、将来、それによって差別されることはない。

こういう話をすると「それじゃあアメリカは、子供たちの社会教育はどう考えているのか?」と心配する向きもある。それは、全く余計なお節介である。アメリカの子供たちは、フットボールやアイスホッケーなどの団体スポーツや、ボーイスカウトやガールスカウトなど集団活動によって、きちんと社会教育を受けている。むしろ、学習障害やパニック障害などに苦しんでいる子供たちこそ、学校は苦痛の場所でしかない。かえって無理に登校させることがないので、日本のように学校でのいじめ問題で自殺にまで追い込まれる話は殆ど聞かれない。

コロナ禍は、長期化するほど、日本経済も崩壊状態になるだろう。すると「会社も倒産するし、もう都会はこりごりだ。故郷に帰って農家でもはじめよう」という若者が今よりも増えるだろう。これは長期的に見れば、個人にとっても、日本社会にとっても良いことだ。しかし、これまでも都会の喧騒から過疎の田舎に帰った若いカップルが一番悩む問題は、子供の教育問題だった。すでに、小学校も中学校も廃校になり、小さな子供を通わせる学校がないからだ。それこそ、オンライン授業によるホームスクーリングが救済してくれる絶好の対象だ。むしろ、東進ハイスクールのような優秀な教師によるリモート授業が行われれば、都会の学校よりも質の高い教育が受けられるかもしれない。

そして近年、アメリカで一番問題になっている教育問題は、大学の授業料の高騰である。パンデミックの影響で、入学予定者の20%が大学入学を辞退した。経済の悪化で、授業料を払える見込みがないからだ。なぜなら、アメリカの上位100位までの大学の年間授業料は、およそ800万円である。4年間で3200万円。これで日本からアメリカの大学に留学できる学生は、一体どれだけいるだろう。もちろんアメリカ人でさえも、そう簡単には払えない。そのため、学生ローンを借りた学生が卒業後に自己破産するケースが後を絶たない。こんなに高い授業料でも、中国やアジアの富裕層の子弟たちのアメリカの大学への入学は、どんどん増えている。むしろ学校側は、経営のために高額の授業料で入学を希望する外国人富裕層の子供たちを優先して、積極的に受け入れている。だからこそ、大学制度に関しては、アメリカ国民の不満は強まる一方だ。

こうした大学教育における格差是正への取り組みのひとつとして、オンライン授業がある。それが、大規模オープンオンライン教育MOOCs（Massive Open Online Courses）である。私は2012年まで、MOOCsの日本組織であるJMOOCsの理事を務めさせて頂いた。当時の理事長は元早稲田大学総長で、放送大学理事長だった白井克彦先生。同じく理事には、東進ハイスクールの永瀬昭幸社長もおられ、ここで私は大学におけるオンライン授業の勉強を沢山させて頂いた。
　この中で、私が一番感動した話は、英国の The Open University（オープン大学）である。１９６９年に設立された公立大学で、全世界からオンラインで18万人もの学生が授業を受けており、その80％近くが働きながら学んでいる。世界大学ランキングも日本の東大とほぼ同格で、英国の大学満足度ランキングでは堂々の第1位である。オフラインに向けては、バッキンガムシャー州に48ヘクタールもの広大なキャンパスを持っている、このオープン大学が２０１２年 Future Learn という名の MOOCs を創設した。今や学ぶ気があれば、オンライン授業により、どこにいても学べる環境があるのだ。

　日本でも、オンラインではないが、ＴＶ放送を用いた放送大学がある。私もJMOOCs の理事だった時に放送大学の授業を視聴したが、講師には著名な先生も多く、授業の質は極めて高い。失礼な言い方をすれば、日本にある大半の大学より授業の品質は高いと思われる。この授業をきちんと理解して単位を取得した学生には、それなりの社会的評価が与えられて然るべきである。企業は、経済的な問題を含めて、いろいろな事情で普通の大学に通えなかった学生が一生懸命学んだ結果を評価して、むしろ優先的に採用するような姿勢を見せて欲しい。教育問題は経済的格差を世代間で引き継ぐ恐れがあり、結果的に無気力な社会を産んでしまう。日本でも、ぜひ放送大学並みの品質を持つオンライン大学の設立が望まれる。

目利きの起業投資家は、アフリカに目をつけた

２０２１年４月。シリコンバレー在住の友人と、久しぶりにＺｏｏｍで雑談をした。シリコンバレーのベンチャー・キャピタル（ＶＣ：起業投資家）は、自社から20マイル以内にあるスタートアップ（日本でいうベンチャー企業は和製英語）にしか投資しないといわれてきた。私の友人が主宰するＶＣも、スタンフォード大学の近くのサンドヒル通りにあるが、その通りには、世界最大のＶＣであるセコイア・キャピタルをはじめとする名だたるＶＣの本社が連なっている。彼らは、投資先のスタートアップの経営トップと日常的にランチミーティングを行って、ビジネスの進捗状況を確認している。だから20マイル以内に存在しなくてはならない。

膝を突き合わせて、相手の顔を見て、その息遣いを感じながら説明を聞くことによって、説明してくれることの真偽を確かめる。顧客から預かった資産を間違いなく運用するためには、絶対欠かせないコミュニケーションだ。シリコンバレーに膨大な数のスタートアップがあるのも、いくつかのステージを経て、ＶＣに投資を続けて貰うた

めには、こうした日常的なコミュニケーションが欠かせないからだ。

しかしコロナ禍は、VCとスタートアップとの大事なコミュニケーションの機会を奪った。カリフォルニアでは店内飲食は禁じられていたので、殆どのレストランは休業、一部のレストランではテラスでの営業を続けていたものの、対面のランチミーティングは感染の危険が高く現実的ではない。残された手段はZoomなどのツールを使ったオンラインミーティングである。そのオンラインミーティングを続けているうちに、お互いがランチで会える距離（20マイル）の縛りが徐々になくなっていった。

それが高じて、VCたちは、シリンコンバレー近郊から全米へ、全世界へとリーチがどんどん伸びていった。そしてとうとう、彼らは未開の大陸であるアフリカへ到達する。それも、最先端の金融テクノロジー、フィンテック（FinTech）の分野である。リープ・フロッグ現象とは、基盤インフラが未整備な地域が、一気に最先端技術を導入して発展することをいうが、アフリカでは、電話の普及がそれだった。固定電話の普及がいまだ進展しないうちに、携帯電話が全アフリカ大陸を席巻した。今やアフリカの人々は、一人1台以上の携帯電話を所有している。

しかし、アフリカの人々が所有している携帯電話の殆どは、安価なガラケーでスマートフォンではない。もちろん、それでインターネットは使えない。その上、アフリカの各国では人々が信頼できる金融機関も身近には存在しない。そんな環境で、FinTech革命など起こり得ないと普通の人は考えるだろう。しかし、２００７年ケニアの大学生がはじめたM-PESAは、その常識を覆した。Mは「モバイル」の意味でPESAはスワヒリ語で「お金」の意味である。

アフリカ人のガラケーでも、インターネットは使えないがＳＭＳ（ショートメール通信）は使える。そのＳＭＳで通貨に見立てたクーポンをやり取りするのである。ケニアでは人口５０００万人の内で7割の人がこのM-PESAを使っていて、その取引総額はケニアのＧＤＰの40％にも達する。ケニア中の殆どの店が、このM-PESAの特約店になっていて、そこではM-PESAによるキャッシュレス決済ができるだけでなく、携帯電話内にチャージされたクーポンを現金化でき、現金を預ければ携帯電話にチャージしてくれる。つまり、ケニアでは、もはや銀行が要らないのだ。

このM-PESAを運営しているのが、ケニア最大の通信企業であるSafaricomである。このSafaricomが、ケニア国内の年間5兆３０００億円もの貨幣流通を支配している。「なんだ、インターネットを使わないのか？」と思われるかもしれないが、じつは、そこに深い意味がある。コンピューター・ネットワークには、「トリレンマ」という苦悩がある。国際金融のトリレンマとは、国際金融政策において、3つの政策を同時に実現できないことを指す。

つまり、①オープン②スピード③セキュリティの3つは、同時に実現できない。しかし、2つなら同時実現できるという法則である。即ち、インターネットという「オープン」を断念しさえすれば、「スピード」と「セキュリティ」は同時に実現できるわけだ。

このM-PESAに触発された、アフリカ発のスタートアップがChipper Cashである。この企業は、M-PESAと同様にインターネットを使わずにP2P（ピア・ツー・ピア）でお金の決済ができる。Chipper Cashは現在ガーナ、ウガンダ、ナイジェリア、タンザニア、ルワンダ、ケニアの6カ国でモバイルベースのP2P支払いサービスを提供している。そして、Chipper Cashは、サンフランシスコに拠点を移し、シリコンバレーのVCの支援を受けながら、このコロナ禍の中で、本命の南アフリカへ進出した。

このChipper Cashに注目したのは、シリコンバレーのＶＣだけではない。世界一の億万長者であるAmazonの前ＣＥＯであるベゾスが、Chipper Cashに対して巨額の資金を投じはじめた。元々、アフリカは通貨が安定しないインフレリスクの高い国ばかりである。それが、これまでアフリカ経済の発展を妨げてきた。ベゾスは、このアフリカ諸国に安定したデジタル通貨を導入しようとしているものと思う。そうなれば、彼は事実上のアフリカ中央銀行の総裁になったのも同然である。

Amazonの拡大を好ましく思っていない欧米諸国も、アフリカ諸国が中国のデジタル人民元に席巻されるくらいなら、むしろベゾスにアフリカを制覇してもらいたいと考えている。アフリカは、新型コロナウイルス感染爆発で殆ど機能していない状態だ。その大惨禍の中でも、しっかりとアフターコロナを見据えて準備をしている連中がいる。

衰退する広告・増益したニューヨーク・タイムズ

コロナ禍は、今まで見えなかったことを顕在化させた。世界最大の感染者数に悩まされたアメリカで、これまで内在していた経済格差や人種差別といった深刻な課題を、人々の意識の中核に据えたのだ。また、「本当の豊さとは何か？」「幸せとは何か？」ということまで人々に問うている。日本でも、例えば、テレビCMが減った。東日本大震災の時と同じく、スポンサーが消滅した時の代行広告であるACジャパンのCMや番組宣伝が増えた。

元々テレビCMや新聞広告は、勃興するネット広告に蹂躙され続けてきた。まさに、既存メディアの危機である。ところが、拡大を続けてきたネット広告市場でも大きな動きが起こりはじめた。きっかけは、お騒がせ屋だったトランプ前大統領だった。2020年7月、トランプ前大統領が投稿した人種差別的投稿に関してTwitterが警告ラベルをつけたのに対して、Facebookには、「同種のヘイト行為対策が不十分だ」として一大広告ボイコット運動が起きた。

消費者向けビジネスを中心とした企業であるスターバックス（94億円）、ユニリーバ（42億円）、ハーシーズ（36億円）、ベライゾン（23億円）、米国ホンダ（6億円）などが取りやめた広告金額（カッコ内）が半端ではない。こうした企業は元来、イデオロギーや政治的立場で行動することはない。しかし、近年のコーポレートガバナンス規定では、企業の社会的正義、すなわちポリティカル・コレクトネスが問われているため、Facebookの姿勢を無視するわけにはいかなかったのだ。つまり、人種差別発言の投稿を容認するようなSNSに広告を出すこと自体が、社会的正義に反するというわけである。

ところで、一昨年に亡くなった私の母が、一人暮らし中に突然倒れて入院し、一命を取り止めたことがあった。退院後も一人暮らしを続けるのは無理なので、老人介護施設をネットでいろいろと探してみた。その直後から、SNSだろうが検索サイトだろうが、ネットに足を踏み入れると老人介護施設の広告ばかり出現するようになった。しかも母が住んでいた実家の近くの施設ばかりの広告が提示されてくる。結局、ケアマネージャーから良い所を紹介して頂き無事入居できたのだが、それ以降、ぱたりと介護施設の広告は出なくなった。

さらに、引っ越しをしたFacebookの友人の投稿も気になった。ホームセンターに部屋の壁に取り付ける棚を買いに行って、家に帰ってきてSNSを覗いて見ると、外資系の大手家具チェーンから「取り付け棚」の広告がやたら掲示されていたのだという。事前にネットで検索したこともないし、誰にも話していないのに、どうして自分が「取り付け棚」を探していることを知っているのだろうと不思議に思っていたら、前の晩にパートナーとＡＩスピーカーが設置しているリビングで、「取り付け棚」のことを話していたことに気がついた。

何とも気味が悪い話ばかりである。こんな形で示される広告を、誰が有り難いと思って買いに行くのだろうか？ 広告業で使われているＡＩアルゴリズムは、「便利」と「不気味」の差がわからない。ＧＡＦＡの中で、GoogleとFacebookの主要な利益はすべて広告である。Googleも、いろいろな新規事業を手掛けているが、広告の代わりになる事業の柱はいまだにひとつも見つかっていない。広告が売上や利益の増大に寄与しないということが判明した時、大手の広告主はこれまでどおり、ネット広告を出し続けるだろうか？

私は、アメリカで会社経営をしていた時に、ネット広告に使う費用がそれから得られる利益に届かないことを知って、以降はネット広告を使わなくなった。それから、一度、ちょっと変な計算もしてみた。一般的に、ネット広告に支払う金額はクリックされた回数に比例するのだが、仮にアルバイトを雇って朝から晩までクリックさせたとすると、そのアルバイト料のほうが広告収入より安いのだ。何だかすごくおかしいとは思えないだろうか？

今回のFacebookに向けての大量の広告ボイコット運動は、単に企業の社会的責任だけから生じているのだろうかと私は疑問に思っている。多分、広告主たちは壮大な実験をしようとしていたのではないか？ Facebookの広告をやめても、売上や利益の増減に大して影響を与えないのではないか？ コロナ禍でビジネスが縮小している時に、各企業は「広告神話」が本当かどうか試していたのではないか？ この結果、殆ど影響がないことがわかれば「広告神話」は、今後崩壊するだろう。

とくに、テレワークが進んで、外出しないで自宅に巣ごもりしている人たちは、外観を気にしなくなった。会社の同僚とリモートで仕事をするのなら清潔でありさえすれば普段着で良い。通勤の行き帰りで遭遇する他人の目を気にする必要がないからだ。

アパレル産業が不振を極めているのも、単に店が休業していたからだけではなかっただろう。アフターコロナは、「普段着の時代」に変わっていく。そして、他人の目を気にしない今、何が流行っているかを気にしなくなる。1億総「脱・流行の時代」になっていくだろう。

2020年、世界で一番、コロナ禍に苦しんだアメリカ。そのアメリカでは、広告で成立してきたメディア産業の新しい流れが生まれた。それが、既にアメリカでは衰退業種といわれていた新聞日刊紙のニューヨーク・タイムズなのである。2019年の4半期売り上げは、平均で約500億円（年間2000億円に相当）で前年比で1・1％増。4半期利益は平均約80億円で、前年比4・4％増となっている。アメリカ第3位の日刊新聞は衰退するどころか、今や売上も利益も成長しているのだ。

4半期売上500億円の内、課金（講読料）は275億円で前年比4・5％増、広告収入は170億円で前年比10・7％減となっている。つまり、年々減っている広告費を購読料の増加が上回ったのだ。紙とオンライン合わせて550万部だが、オンラインのみの購読者は4半期ごとに35万人増えており、昨年同期比で130％増となっている。当たり前だが、オンライン購読の比率が高まれば高まるほど、事業採算は好転する。だからオンライン購読料は月9・75ドルと極めて安い。

このように広告依存度を減らしているニューヨーク・タイムズは広告主の影響を受けることなく、独自に厳しい企業批判、政府批判を繰り返している。トランプ前大統領が最も嫌ったメディアはCNNからニューヨーク・タイムズに変わり、トランプは同紙を「最悪のフェイクニュース」と呼んだ。こうしたニューヨーク・タイムズの方針が、今後のアメリカを担うといわれているミレニアル世代から大きな支持を得て、2020年度は新規購読者を倍増させる計画を発表した。

なお、アメリカの広告費総額の49％がGoogle、40％をFacebookが占めており、テレビや新聞などの既存メディアは残りの11％しかない。しかし、ミレニアル世代の多くが「広告ブロッカー」というアプリによってオンライン広告を阻止しており、その総額は1兆6000億円に相当するといわれている。各企業はコロナ禍の中、これまでの既存概念に囚われることなく、何が真実なのかを求めていた。アメリカでの広告産業は、今後大きく変わっていくのだろう。

大量在庫の悪夢からアパレルを救った堂前宣夫さんのこと

２０２１年5月。多くの企業が、２０２０年度の決算結果を公表した。その中で、大変苦しんだ業種に、アパレル業界がある。

ステイホームで人々は、毎日、普段着で暮らしているので、人目を気にする外出着への関心が薄らいだ。テナントとして入っていた百貨店も、2カ月近く閉店した時は、毎日が地獄の日々だったに違いない。私がお気に入りのブルックス ブラザーズも創業２００周年を祝った直後に、コロナ禍の影響を受けて会社更生法の申請を行った。トランプ前大統領も愛用していたという、このアメリカ東部の老舗ブランドは、幸い、すぐにファンドが資金投入したので倒産を免れた。

しかし、アパレル業界の苦境は、「既に起こっている未来」のひとつだった。例えば、日本市場の需要と供給の関係から見てみると、今から約30年前の１９９０年では、需要が11・5億点に対して供給は12億点とほぼ拮抗していた。ところが２０１８年には需要が13・5億点に対して、供給は2倍以上の29億点に達していて、余剰在庫が15・5億点にまで達している。つまり、アパレル業界は製造した商品の半分以上が余剰在庫となり、廃却を迫られていた。

近年、脱炭素を目指すSDGsの動きの中でも、二酸化炭素排出量が多い産業として、アパレル業界は変革を迫られている。もちろん、生産量の半分近くが廃棄されていることは、あまり知られていないだろう。有名ブランド品については、売れなかった在庫品からロゴラベルを剥がし、ノーブランドとして安く再販されるような努力もなされているが、これでは最初に高い値段で買ったお客は怒り出す。かつて一世を風靡したGAPも、量を裁くアウトレット販売を強化することで本来のブランド価値を失ってしまった。アパレル業界は、流行する「色」を2年前に決め、流行する「形」を1年前に決めて、安価な労働コストが可能な途上国で一斉に大量に製造をしてきた。このビジネスモデルは、もはやとっくに破綻していたのである。

こうしたビジネスモデルを打ち破ったのが、英国のウルトラ・ファスト・ファッション企業であるPRIMARKである。PRIMARKは、ロンドン近郊で縫製しながら、バングラデシュで縫製するH&Mより安価で販売する。ロンドンの銀座通りであるオックスフォード通りに2000坪の店舗を有し、英国第1位、世界第7位の巨大アパレル業となった。ロンドンの女性たちからはプチプラ（安くて可愛い）ブランドとして人気があり、1点平均7ポンド（約1000円）の商品は、コロナ禍でも人気は全く衰えていない。むしろ、普段着志向が定着した時だからこそ、売上を伸ばしている。

とにかく、PRIMARKの成功の秘訣は余計な在庫を抱えないことである。例えば、顧客がデザインは気に入ったのだがサイズが合わないといった場合に、1日待って貰えば翌日には希望する商品を渡すことができる。これもロンドン近郊で縫製している強みである。このため、店舗には、すべてのサイズを取り揃えておく必要がない。徹底した在庫管理が英国での高い人件費を相殺できている。こうした動向も、実はコロナ以前からはじまっていた。

こうした日本のアパレル業界の未来に対して、ファストリ（ユニクロ）が大変参考になる示唆を示している。東大で私と同じ研究室の後輩に、ユニクロ創業時代から柳井正さんを支えた堂前宣夫さんがいる。堂前さんは大学を卒業後、外資系の大手コンサル会社であるマッキンゼーに入社した。マッキンゼーに5年ほど勤めた堂前さんは「マッキンゼーに堂前あり」といわれる存在になったが、コンサルタントという職業が自分には合わないのではとの思いから退職し、郷里の山口県宇部市に戻った。その宇部市で堂前さんは、柳井さんという変わった人が経営しているユニクロの前身・小郡商事という衣料品店の存在を知った。それが、堂前さんがファストリに入社した経緯である。

私が堂前さんの存在を初めて知ったのは、ダボス会議だった。富士通は、私が役員になる随分前からダボス会議のスポンサーになっていたが、ダボスは元来がスキー宿で、狭い会場で出席人数が限られている。そのため、国家元首以外は通訳の同席を許さないという縛りから、私以前には、誰も出席していなかった。そんな会場で突然話しかけてきたのが、堂前さんだった。堂前さんは既にダボス会議において、ヤング・グローバルリーダーとして活躍している有名人で、私が同じ研究室の先輩であることを知っていて声をかけてくれた。

堂前さんは、ニューヨーク、ロンドンの旗艦店を成功に導き、ファストリの上席常務へと昇進した後に、フランス、パリのユニクロ旗艦店の店長となった。日本に帰国した折りには私に連絡をくださり、いろいろと参考になる話を聞くことができた。じつは、堂前さんがユニクロでアパレル業界に参加したかったのには、ひとつの思いがあった。堂前さんの父親が宇部で勤めていた帝人は、かつて世界的な繊維メーカーだった。しかしその後、日本全体の繊維産業の没落とともに、帝人も衰退していった。堂前さんは、日本のアパレル業界が生き残る道は、日本でしかつくれない素材の「糸」にあると考えていた。その考えから、堂前さんは、父親が長年勤務していた帝人に頼みに行ったが断られ、その後「東レ」に頼んで、今日のファストリと東レのタイトな蜜月関係が成立したのである。ユニクロの成功の秘訣が、東レが開発した日本製の「糸」を使った機能性衣料品にあることは、今では誰もが知るところである。

さらに、堂前さんはマッキンゼー時代に磨きをかけたＩＴコンサルタントとしてのキャリアを生かして、ユニクロを小売り業主導の製販統合モデルSPA（Speciality store retailer of Private label Apparel）として構築した。ＳＰＡの語源自体、自分がつくり上げた製品を自分で売り出すビジネスモデルのことで、それをGAPが呼称として定義した。その後、GAPに続いてZARA、H&M、ユニクロと前述のPRIMARKが、このビジネスモデルを受け継いでいる。堂前さんは、まず縫製については安価な人件費を見込んで中国からはじめたが、その後ベトナム、バングラデシュへと生産工場を移転していった。この移転がスムーズに進んだのも、中国人の製造業者が、そのままベトナム、バングラデシュへ移り住んだからだ。堂前さんは、「日本人と違って中国人は永住するつもりで国を移動するので、最初から心構えが違う」と言う。

そのユニクロが、アパレル業界特有の商習慣から脱却し、大量在庫の悪夢から逃れているのも、製造と販売をタイトにリンクさせたサプライチェーン管理にある。私もたびたび経験しているが、ユニクロは早く買わないとすぐに売り切れになる。これが、優秀な在庫管理の極意である。日本の多くのアパレル業界が苦しんでいる中で、ユニクロと同じく、ワークマンだけはコロナ禍がどこ吹く風というほど好調だ。もともとガテン系の作業着が主流の商品だったワークマンが、女性向けファッションで大ヒットを連発している。

ワークマン大成功の秘訣は、地価の高い商業地ではなく、郊外の住宅地に店を構えて固定費を減らしていること。そして徹底的な生産管理を行って、適正な在庫管理をしていることである。ワークマンもユニクロも人工知能（ＡＩ）を使ってお客の嗜好トレンドを予測し、確実に販売できる量を生産している。今後の日本のアパレル業界が息を吹き返すためには、そういった工夫とイノベーションが必要である。

その後、堂前さんは「やはり、学生時代に研究してきたＡＩ（人工知能）をやりたい」とユニクロを辞めて南場智子さんが率いるＤｅＮＡへ移ったが、２０２１年7月に、なんとユニクロと一部競合する無印良品の社長に就任した。日本もプロの経営者が、次々と会社を移るようになった。

テクノロジーで変わる、旅の未来

2020年4月以降、新型コロナウイルスの感染が全国に広がることによって、県外ナンバーの車に嫌がらせをする排他的行為が日本中で起こった。これまでは地域にとって、富をもたらす人々が、禍（わざわい）をもたらす人々へと明らかに認識が変わってしまったのである。世界や日本の各地を訪れてみたいという知的な好奇心は誰しもあるものだが、訪れる土地の人々が歓迎してくれないとうまくいかない。「移動」を伴う観光という生業は極めて難しくなっていった。

この新型コロナウイルスが瞬く間に世界中に広まり、夥（おびただ）しい数の感染者、犠牲者を出したのも、多くの人々が世界中を瞬時に「移動」できるようになったからだ。この大量「移動」こそが、パンデミック発生の元凶となった。それは国を超える「移動」だけでなく、大都市における公共交通を使った通勤・通学のための「移動」も含まれる。そのため感染拡大の防止策として、出入国制限、あるいはテレワークやＷｅｂ会議、オンライン授業によって「移動」を代替しようと試みた。

この間に人々が受けた心の傷は深く、地域振興のために、日本全国から、あるいは世界中から多くの観光客に来て欲しいというメンタリティーには簡単に戻れないであろう。インバウンド景気というスローガンも、今や死語となった。

世界中の人々が自宅軟禁状態になった結果、原油が大量に余り、先物価格がマイナスとなった。世界中の「移動」に必要な原油の量が、いかに膨大かを思い知らされた。現在の二酸化炭素の大半が「移動」によって生じていることの証でもある。鎖国状態により、懸案の低炭素化は一気に進展するだろう。長期型投資で大きな成功を収めてきたバフェット氏もデルタ航空の筆頭株主を降りるだけでなく、他のすべての航空会社の株式も含めて売却したという。まさに世界は新たな常態に突入した。

私自身もコロナ以降、社外取締役を務める3社において、取締役会がすべてWeb会議になった。使用されるシステムはTeams，Zoom，BlueJeans（Verizon）と、各社とも異なっていたが、操作方法は殆ど差がないので、すぐに使えるのは便利であった。使いこなしている内に、だんだん向上心が湧いてきて、PC標準装備のものでは満足できず、専用のWebカメラ、外付けスピーカー・マイクと顔を明るくするためのリングライトも購入した。

また、一部を除いてすべての講演会が中止や延期となった。例外は、全社各拠点向けの社内講習会と、この度各大学で導入されつつあるオンライン授業である。ここでは、Ｗｅｂ会議の画面にPowerPointベースの講演資料を投影しなければならない。このため講演資料を表示する、もう一台のＰＣのＨＤＭＩ出力を変換してＷｅｂ会議用ＰＣへＵＳＢ経由で入力できるビデオ変換機器も急遽購入した。こうした一連の周辺装置を購入したので、最早どんな要請があっても怖くなくなった。自宅にいながらにして、何でもできる自信がついた。

さらに、シリコンバレーの人たちを交えたＷｅｂ会議もはじまった。日本は朝方、シリコンバレーは夕方がお互いの共通タイムである。日本側も東京、大阪における、それぞれの自宅、シリコンバレー側も自宅から参加するのだが、結構、深い話までできたのである。これまではシリコンバレーのスタートアップを直接訪問し、お互いに自分の技術を披露し合って協業の可能性を探るという視察を続けてきたが、こういう状況下では従来どおりのかたちでの実現は難しい。いっそ、視察自体もＷｅｂで行ったらどうかという話も出てきた。

本来は、直接会って、お互いに膝を突き合わせて、相手の息遣いを感じながら熱い議論をするほうが良いに決まっている。しかし、協業の可能性という話は、うまく行く可能性のほうが遥かに低い。可能性が低いのに、長時間の移動と高額の経費を使うというのも少しもったいない。こうしてWeb会議でシリコンバレーのスタートアップを多数訪問できれば、もっと多くの機会が増えるだろうし、協業の実現性もきっと高まっていくに違いない。

さて、そんなビジネス世界を除いた「移動」の中心は、やはり観光である。私自身、日本は47都道府県、世界は約50カ国を訪れた。この旅から得られた知見や感動は計り知れない。これからの若い人たちにも、どんどん世界を見て欲しいし、リタイアしたシニア世代の方々もぜひ各地を訪れて楽しんで頂きたいと思う。しかし、コロナ禍は、世界中の人々の心を深く蝕んだ。

では、ポスト・コロナ時代の観光業はどういうかたちに変わっていくだろうか？それはビジネスの世界がネットを使ったテレワークで凌いでいるように、観光も一部はテレポーテーションを駆使するようになってくるだろう。つまり、ドラえもんの「どこでもドア」だ。実現方法は、もちろん、8K次世代VR（200度広角）を使う。せっかく長時間、飛行機を乗り継いで、目的の場所に行ったのに、天気は最悪。あるいは想定外の混雑など、酷い経験をされた方もおられるだろう。しかし、この8K次世代VRなら、最高の天気、最高の条件で撮影されたベストな映像がベースなので、実物以上に満足度は高いだろう。

そう考えると、観光業はコンテンツ提供業に変貌しているかもしれない。そして、現地の収入のベースは、名産品や酒類や食品の物販、あるいは、その広告と抱き合わせになるかもしれない。8KVRによって訪れる観光客の人数が、従来の100倍、1000倍になれば、これまでの観光業を凌ぐ、大規模なビジネスに成長する可能性は十分にある。アフターコロナには、従来ビジネスとは大きなDisrupt（断絶）を引き起こすかもしれないが、決して暗い話ばかりではない。

こうした夢のような話をしているうちに、もはや次々と新たなテクノロジーによって、仮想世界でのゲームやツアーが既に実現している。Facebookも一体型VRゴーグル「Oculus Quest 2」を3万9千000円で売り出した。そして、ナイアガラ、ビクトリア、イグアスと世界三大瀑布のオンラインツアーも1時間分2000円で販売されている。私も、かつて妻と子供を連れてナイアガラの滝に行ったが、じつに大変だった。一家で、サンノゼ空港からトロントへ飛び、富士通カナダに勤務する同僚の車で滝まで案内してもらった。遊覧船で滝の真下まで行ったが、カッパを着ていても頭からびしょ濡れ。目の前の滝は余りにも巨大過ぎ、その上、激しい水の飛沫でよく見えない。実物を直接見るよりも、オンラインとかＶＲで見たほうが感動したかもしれない。

いずれにしても、これで観光の世界は大きく変わる。世界でも日本でも観光地に行けば、殆どのお客は高齢者だ。時差もあるし、飛行機の乗り換えでは何キロも歩くし、とくにヨーロッパの観光地は坂ばかりだし、皆さん、本当に元気だなと思う。とはいえ、旅行中に亡くなっている方も少なくないだろう。これに比べれば、オンライン観光やＶＲ旅行のほうが手軽で安くて体力の不安も考えなくて良い。問題は、これまで観光で稼いできた観光地だ。こうした新しい観光形態で、どう収入を得ていくか。これからシフトチェンジが起こっていくことだろう。

食糧危機を救え
～早かったシリコンバレーの動き

２０２０年４月７日。第１回緊急事態宣言以降、買い占めによるパニックが頻繁に起きた。マスク、トイレットペーパーなどに留まらず、食品の分野までに及んだ。カップラーメンはまだしも卵、ホットケーキ粉やケチャップまでが棚から消えた。必須日用品の欠乏も深刻だが、食品が手に入らない危機ほど深刻なものはない。こうした状態が、一部の人々による一時的な買い占めによるものなら、少し辛抱すれば元に戻る。しかし、食糧の殆どを外国からの輸入に頼っている日本で、全国の在庫が払拭したら、どうなるのか？　コロナ禍を契機に真剣に考える必要が出てきた。

そのひとつは、世界各国ではじまった自国優先主義である。世界は分断され、従来のエネルギーだけでなく、医療機器や食糧までもが戦略物資となった。敵国を攻めるのに火器は要らない、兵糧攻めで十分だというわけである。そこで、食糧の安全保障という観点からも、グローバリズムに依存した従来の農業政策、水産業政策を大幅に見直す必要が出てきた。つまり、重要な食品については、他国への依存度を減らし、もっと自給率を上げられないかという議論が必要だ。

加えて、もうひとつの世界共通の危機として、気候変動がある。ある地域は渇水による干ばつ、またある地域では豪雨による水害で農業は壊滅的な打撃を受けた。一方、水産業では気候変動による温暖化で海水面の温度上昇が起きて、水産資源は壊滅的な打撃を受ける可能性がある。さらに、水産資源については、乱獲による枯渇だけでなく、マイクロプラスティックによる海洋汚染で食用に適さなくなるのではとの心配もある。

コロナ禍で生じた食糧問題のひとつは、アメリカで起きた豚肉加工場での新型コロナウイルス集団感染である。このため、アメリカでは豚肉の需給関係が逼迫した。もうひとつは、新型コロナウイルス検疫によりメキシコ国境経由の入国者を大幅に制限したことで、レタスやイチゴの採取者がいなくなったことである。これは、同じく新型コロナウイルス検疫で東南アジアからの技能実習生が来なくなり、キャベツやレタスの採集に困った日本と似た状況である。

さらに、もっと深刻な問題が潜んでいる。それは、新型コロナウイルスも多分そうだろうと思われるが、これまで世界を席巻した主要なパンデミックであるインフルエンザ（鳥由来）、SARS（ハクビシン由来）、MARS（ラクダ由来）、HIV（サル由来）は、すべて動物を食する習慣によって動物から人間に感染したという事実である。狂牛病（BSE）はヒト・ヒト感染しないが、広義の動物由来の感染症ともいえるだろう。近年、中国が、いくつかのパンデミックの震源地になっているのも、野生動物を好んで食する中国の文化から来ているものと思われる。当然、中国政府もその点を気にしていて、野生動物を食品市場に流通させないような恒久的な施策を講じている。

第一次世界大戦でも第二次世界大戦でも、戦場における圧倒的多数の戦死者は、銃火器による殺戮のせいではなかった。死因の殆どは、飢餓と感染症である。政府は地震や津波、水害といった自然災害に強い強靱な社会を目指しているわけだが、併せてパンデミックや飢饉に対しても、強靱な社会を構築することを求められた。コロナ禍によってパンデミック対策については、多くの議論がなされたが、食糧危機については、果たしてどこまで真剣な議論がなされたのだろうか？

私は２０１９年10月、サンフランシスコで開催されたDisrupt SF ２０１９に参加した。このDisruptは、シリコンバレーで最も使われた言葉で、日経新聞の1面でも、このDisrupt特集が組まれていた。Disruptとは、本来、「破壊」を意味する言葉だが日経新聞では「断絶」と翻訳されており、さすが日経新聞だと感心した。このフォーラムは3日間にわたって開催され、全米から４００ものスタートアップが参加。日本のJETROが協賛していることもあって、日本からのスタートアップも数社ほどブースを出展していた。

シリコンバレーのスタートアップといえばフィンテックとか仮想現実とか、華やかなテーマを想起させるが、このDisrupt SF ２０１９では「飢餓」をテーマとして扱ったスタートアップが少なくなかった。彼らは、地球温暖化防止は極めて重要なテーマであるものの、現状では、もはや不可避の事態というのである。その結果、生じる危機は深刻な食糧不足による「飢餓」で、それを救うための技術を今から開発する必要があると訴えていた。ＡＩやＩｏＴ技術による農業改革であるAG Techや水産業改革であるAG Techである。

AG Techの目玉は、点滴灌漑で、少ない水量で効果的な灌漑を行おうとするものである。イスラエルで開発された点滴灌漑技術は、スペインにおけるブドウ栽培など既に世界各地で実用化されている。このDisrupt SF ２０１９では、半導体チップを使った土壌センサーで点滴量や肥料成分の最適化など、干ばつに強い農業を目指していた。あるいは、先ほど紹介したレタスやイチゴなど、従来人手でしか収穫できなかった作業のロボット化という課題に挑んでいるスタートアップもいた。

水産業においては、陸上養殖に関するテーマが多い。アメリカ大陸の殆どの地域は海に面していないので、陸上養殖がデフォルトになるのは、当たり前である。日本でも、海水面温度の上昇と大型台風の影響で海上養殖は困難になりつつある。陸上養殖では水族館のように疑似海水を循環させて使うのだが、餌や糞による汚染を監視するとともに、生存率や生育状況を監視カメラで自動測定する技術が開発されている。

中でも私が感銘を受けたのは、ノルウェーの国営ファンドが出資し、ノルウェー人がシリコンバレーに設立したスタートアップが、「二酸化炭素から魚の餌をつくる」

という事業である。彼らは既にサンプルを製造済みであり、本国ノルウェーの鮭の養殖場で試験運用していた。二酸化炭素とアンモニアから、バイオリアクター（生体触媒を用いて生化学反応を行う装置）によってタンパク質をつくり、魚の餌にしているというが、二酸化炭素は近くにあるセメント工場の排ガスから分離している。

本来、空気中に放出される二酸化炭素の再利用であることだけでも、地球温暖化防止のための取り組みとして素晴らしい。だが、なぜ彼らの目的が魚の餌なのだろうか？よく聞いてみると、彼らの考え方はさらに素晴らしい。ノルウェーは鮭の養殖では世界一である。これは水産資源の保護という意味では目覚ましい成果を上げているわけだが、その養殖の餌が、また魚だというわけだ。彼らの問題意識は、「今後枯渇していく資源を餌にした養殖事業に持続性はあるのか？」という疑問である。

もうひとつの飢餓問題への取り組みが、ヴィーガン（完全菜食主義者）である。ヴィーガンはベジタリアン（菜食主義者）と異なり、しっかりとタンパク質を摂取する。一般的には大豆などの植物性タンパク質から食品加工によって擬似的な肉を模して食べるわけだが、シリコンバレーで多くのスタートアップが挑戦したのは、普通の肉と同じ味と噛み応えがある人造肉だ。彼らの主張は、牛や豚、鶏を飼育する牧場ではトウモロコシなどの穀物を餌にしているが、これは大量の水資源を非効率に消費しているだけでなく、例えば牛が反芻して出るゲップは二酸化炭素以上の温室効果ガスとなって大量に排出されるというわけである。

もちろん、彼らの主張の中には、動物を食するという文化をやめれば、地球温暖化の防止に役立つだけでなく、パンデミックを発生させる確率を著しく減らすことができるという論理がある。アフターコロナに求められる技術開発は、人類も動物も共存して生き残るという、優しい思いやりが求められている。

中国でバカ売れした日本のメガネ

2021年4月。あるビジネス雑誌を眺めていると、中国に進出している日系の百貨店で、コロナ禍で一番売れた商品はメガネだという。

相手のマスクから漏れて出る飛沫は、自身のマスクによって口から侵入することはある程度防げるかもしれないが、目から侵入することには無防備である。そのため、コロナ患者に相対する医療関係者はマスクだけでなく、目からのウイルス侵入を防ぐため、必ずフェイスガードを着けている。たしかに、中国の武漢で、最初に新型コロナウイルスで亡くなった医師も眼科医だった。

マスクの代わりに、透明なプラスチック製のフェイスガードを着けている人を見かけたが、あれは大きな間違いである。フェイスガードはマスクの代わりにはならない。フェイスガードは、マスクでは覆うことができない目から感染することを防止するためである。外出する時は終始マスクをしていて外食もしていないのに、一体どこで感染したのだろうと不思議に思っていた方こそ、目からウイルスが侵入した可能性が高い。

私は、当初コロナウイルスが目から侵入するのを防ぐために、花粉防止用のゴーグルを購入して着けてみたが、何ともものものしくて不自然だった。その後は、外出する時には、必ずメガネを着けるようになった。若い時は近眼と乱視だったのだが、歳をとって老眼と重なり、今では本を読む時以外は全くメガネが要らなくなった。それでも、眼科医からは白内障の症状があると言われているので、紫外線とブルーライトを遮断する透明のサングラスをかけている。なぜ透明かといえば、色の濃いメガネは瞳孔を大きく開き、紫外線の遮断効果が減少するといわれているからだ。コロナ禍では、この透明サングラスが外出時には離せないものとなった。

コンタクトレンズを常用している多くの若い中国人が、日系の百貨店で、コロナ感染防止用に洒落た日本製のメガネを購入していた。福井県鯖江市は、高級メガネフレームの世界的大産地として知られている。これが、中国の日系百貨店において、コロナ禍でのベストセラーだったというのだから驚きだ。たしかに、コンタクトレンズは手で挿入するし、その手にウイルスが付着していたらと考えると本当は恐ろしい。しかし、こんなニュースを報じた日本のメディアがあっただろうか？ コンタクトレンズ業界は大スポンサーだから、ご機嫌を損ねるわけにはいかないのだろう。

中国は、短期間で完全にコロナ禍が収束したわけではない。上海や北京のような大都市で、時々、一定数の感染者が判明している。しかし、その度に短期のロックダウンを行い、１０００万人規模の大規模なＰＣＲ検査（もちろんプール検査）を行い、無症状感染者を徹底的に炙り出している。彼らは、彼らなりに地道で継続的な努力を重ねていた。「なにしろ中国は、強権社会だからね」と言ってしまえばそれで終わってしまうが、本当に、それで良いのだろうか？ 日本が中国に学ぶ施策は、きっとあったはずである。

第三章

世界から取り残された日本

コロナに翻弄された2020年

2021年3月11日。東日本大震災が起きてから10年経った。

10年前のその日、私は講演先の青森で東日本大震災に遭遇した。自分が生きている間に、1000年に一度という未曾有の大災害に遭ったことに大きなショックを覚えた。この大惨事から10年を迎えようとする年に、まさか、新型コロナウイルスという、14世紀のペスト大流行以来700年ぶりの世界的パンデミックに出会うとは思わなかった。14世紀に欧州を恐怖のどん底に陥れた第二次ペストも、中国大陸起源だったというから因縁も深い。発生源の中国では、当時人口を半減させるほどの猛威だったらしい。

「新型コロナウイルスはインフルエンザと同じようなもので恐れることはない」という人もいたが、とんでもない話である。日本では、新型コロナウイルスが猛威を奮っている中ではインフルエンザは殆ど発生していなかった。飲食業界の人たちの話では、ノロウイルスによる食中毒も全く発生していなかったという。それだけ、多くの人が感染予防に努めている中で、新型コロナウイルスだけ感染が拡がっているのは、その感染能力がいかに強靭かを物語っていた。

ペストはヨーロッパで１３４８年から１４２０年まで、70年間もの長き間に断続的に続いたので、裕福な貴族たちは感染防止のために街から離れた過疎地に「別荘」を建築した。これが「別荘」の起源だといわれている。

ペストから逃れて生き残るためには、十分なお金が必要だった。それでも、イングランドやイタリアでは総人口の８割が死亡し、全滅した街や村も数多くあったという。こうなると社会構造が壊れてしまうため、もはや大金を持っていても何の役にも立たないことになった。社会は富裕層だけでは持続できないという良き教えだろう。

日本では医療関係者の努力によって致死率は低く抑えられていたが、格差社会の底辺で暮らしている人々は、毎日、普通に生活していくだけでも大変な状況に追い込まれた。アメリカも同様だが、コロナ禍は、従前から存在していた課題を炙り出した。アメリカも日本も、新型コロナウイルスが猛威を奮っているのに株価は高騰しており、株価から見る限り景気は十分に高揚している。この株価高騰がトリクルダウンで国民全般に恩恵をもたらしているかといえば、はっきりいってＮＯである。新型コロナウイルスは、こうした現実社会の矛盾を嘲笑っているようだ。

政府は企業の倒産を、いかに防ぐかに注力しているようだが、企業は倒産しても需要が再び戻れば、いくらでも再生できる。大きな問題は、やはり個人だろう。とくに、普段から困窮している人ほど、このコロナ禍で酷い目に遭っている。その上、女性に偏って皺寄せが起きている。こうした人を個別に救済するほうが、企業を救済するより遥かに優先順位は高いはずだ。人は一度命を失ってしまったら、もう二度と元には戻れない。

それにしても、私自身の体験からも、２０２０年は年初から異常なことの連続だった。じつは２０１９年末から喉に異物ができた感覚があった。親友が咽頭癌になったことも影響していて神経過敏になっていたのかもしれない。耳鼻科の医者に行ったら異常はないが、もっと奥を調べるなら胃カメラやＣＴ検査を受けるべきだと進言され、年明けにその検査を受けた。結果は、全く異常なしだったが、喉の痛みは治らない。

さらに詳細に検査して頂こうと思っているうちに、新型コロナウイルスの感染拡大が起きて、それどころではなくなった。

それで、少しでも喉に優しくしようと思い、近所のチェーン薬局にマスクを買いに行ったら、店員同士で、既に都内の店舗では中国人観光客の買い占めで在庫が払拭していると話しているのを聞き、早速、60枚入りのマスクを6箱買ったのが役立った。次は妻のために小さいサイズのマスクを探しに行ったが、毎朝、薬局に行って行列に並んでも「今日は入荷なし」と言われ、うなだれて帰ることばかりだった。

その後も、すべてが異常続きだった。取締役会はすべてオンラインに、講演会は次々と延期や中止になった。私は現在、3社の社外取締役をしていて、それぞれオンライン会議のシステムが異なることは既に述べた。当初は戸惑ったが、慣れれば、それなりについていける。それでもやはり、パソコンに付属しているカメラやマイクを使うよりも、専用のWebカメラや外付けマイク・スピーカーを使ったほうが品質は良いので、専門家の意見を聞き高品質のものを購入した。自分が発言する時以外は、マイクはミュートにしておくほうがマナーとしては好ましいことも、今回学んだことである。

それにしても、オンライン会議はリアルより遥かに疲れる。3時間も続けていると頭痛がひどくなる。発言の機会をタイミングよく捉えるのも難しい。脇に置いたiPadで資料を見る視線とPCで会議場を見る視線が異なるのも疲れる原因かもしれない。さらに、リモート参加者の機器環境が悪く音声が聞きにくいことにもフラストレーションが溜まる。映像はボケていても気にならないが、音声が聞きづらいのは勘弁して欲しい。

いわゆる会場で集客するタイプの講演会は、殆どすべて延期や中止となった。例外は、九州地区の経済同友会での講演だった。その地域では感染状況は落ち着いていて、緊急事態宣言も解かれて初めての勉強会の開催となった。しかし、私が東京から参加することには不安があるというので、自宅からオンライン講演とさせて頂いた。私から送った画面をホテル会場の大スクリーンに投影して頂き、音声も中継して頂いた。こうして受信側で、それなりのサポートをして頂ければリモート講演も全く問題なくできることもわかった。

大学での講義や企業内研修では、自宅からオンライン講演ができる。2台のPCとビデオカメラさえあれば、Blackmagic社製のATEM Mini Proというビデオ編集機によって、自宅からプロ並みの講義映像を送ることができる。まさにYouTuberになったような気分である。会社をリタイアしてから身近に教えてくれる人もいない中でも、ありがたいことにＳＮＳで教えを請えば親切丁寧に教えてくれる方が何人もいる。要は、やる気になりさえすれば何でもできる時代になった。

そしてこの年、一番残念だったのは、20年以上も毎年続けていたシリコンバレーへの視察が、とうとう途絶えてしまったことである。シリコンバレーはコロナ禍だけでなく、大規模な山火事にも遭遇した。いずれもテクノロジーだけでは、簡単には解決できないことばかりであった。「人類は、もっと真摯に生きろ」という自然の深い教えだったのかもしれない。

ムダな働き方をしてきた日本

2020年4月。緊急事態宣言を受けて、「テレワーク」が大きく進展した。しかし、都心の大企業に勤めるホワイトカラーの間でこそテレワークは浸透したものの、介護・医療・警察・消防といったエッセンシャル・ジョブ（社会にとって必要不可欠な職業）に携わる人々にテレワークは全く無縁の働き方だった。こうしたエッセンシャル・ワーカーの方々にとってみれば、テレワークで仕事ができることは本当に羨ましい限りだったに違いない。

ところが、アフターコロナの「新常態」のもとで考えてみると、テレワークで仕事ができる人々を、必ずしも羨ましいと思う必要はないのかもしれない。それは、このテレワークを経営者の視点から見ると明らかになる。私が親しくしている、ある大企業の経営トップはテレワーク中のオフィスに行ってみて、驚いたと言う。「オフィスには、見事に誰一人として出勤していない。それにもかかわらず会社は平常どおりに動いている。一体、今までは何をしていたのか？」という驚きである。

そして次々と疑問が湧いてきた。「都心の真ん中に高い賃料を払って広いオフィスを構えている意味があるのだろうか?」とか「会社に来なくても仕事ができるのなら、例えば、定型業務は社員にやらせなくても、アウトソーシングできるのではないか?」などと思えてくる。実際、欧米の大企業は人事・経理・総務といった管理業務を自社内に持たずにアウトソーシングするのが一般的である。日本の経営者も知識としては理解していても「実際に、そんなことができるのか?」と、これまでは信じられなかったのだろう。しかし彼らは、無人のオフィスのまま、会社が滞りなく動いているのを目の当たりにすることとなった。

過日、NHKの番組を観ていると、日本電産の創業者、永守重信会長が、テレワークについて語っておられた。永守さんは、これまで「テレワークなどチャラい話だ」と、全く信用していなかったそうだ。それでも、社員の命を守ることは事業継続を考える上で必須のことだと、渋々テレワークの導入を認めた。それまで、永守さんの信条は「会社に長くいて、人の倍の時間を働くことが大事」だった。永守さん自身、年間300日も働いている。海外に100日、国内の顧客回りに100日。京都の本社で過ごすのが100日。よく考えてみれば、1年は365日、52週間しかない。だから日本電産では、取締役会を含む社内会議はすべて土日である。とにかく、モーレツ経営者だ。

その永守さんを驚かせたのは、テレワークで競合他社を出し抜いて、次々と新規取引先を獲得しシェアを拡大した社員の存在だった。できない理由を考えるのではなくて、できる方法を考える。テレワーク勤務で顧客先を直接訪問できない状況は、他社も含めて皆同じである。その中で、その社員は、Ｗｅｂ会議を駆使して顧客との会話を実現させた。永守さんが感銘を受けたのは、そうした社員の努力が、リモートワークである以上、上司からは全く見えなかったことだ。

永守さん曰く、「これまでの日本電産は、真面目にコツコツと長時間働き、指示されたことを忠実にこなす社員に高い人事評価を与えていた。これは間違っていた。これからはプロセスではなくて結果重視で報酬を決めていく。会社にいようと、自宅でテレワークをしようと全く関係ない」。

ありがたくも聞こえるが、大変厳しい話である。「アフターコロナは、少数の強者だけが生き残り、企業間の競争は、今よりもっと過酷になる」と永守さんは、最後に締めくくった。

こんなにテレワークが普及した時代は、かつてない。この結果、いろいろなことが見えてきた。その内のひとつが、「働かない中高年」の炙り出しである。会議に参加しても、何も発言しない。それはまだ良いほうで、参加の仕方がわからない人も少なくなかった。皆がWｅｂ会議で揃っていて、自分が欠席していることがグループ全員に知れていることすらも理解できていない。そして会議中、無言で睨みをきかせるなんていう前近代的な手法は、もはや通用しなくなった。しかも会議は録画もできて、議事録も自動作成できるので、ハラスメント的な発言は一切許されない。テレワークは、これまでの日本の職場風土を一変させた。

そうはいっても、社内で同じグループで仕事をするのであれば、お互いに近距離で直接話し合うほうが建設的な議論ができる可能性は高い。むしろ、本来のテレワークの利便性は、社内というより社外との情報交換ではないだろうか？　これまでは、「直接お伺いして、お話ししないのは失礼」という懸念から、お互いのスケジュールを調整して、遠路はるばる移動するという儀礼が尊ばれた。この習慣をテレワークで済まそうという意識がお互いに高まれば、生産性は大きく向上し、どちらにも便利である。

もとより日本は、欧米に比べると、製造現場の生産性は高いが、オフィスの生産性が低いといわれてきた。とくに、アメリカと比べて製造業の生産性はほぼ同等であるが、サービス業の生産性は極めて低い。要は、日本は無駄な仕事をしているわけだ。国土が日本の30倍近くもあるアメリカで、日本と同じように律儀に客先まで、その都度移動していたら商売は成り立たない。

テレワークは生産性の向上という点で、今の日本の深刻な人手不足の大きな解決策になるだろう。また、「仕事をしているふりをしている人」を炙り出す効果によって、本当に必要な人に高いインセンティブを与えることになるだろう。アフターコロナのホワイトカラーは、もはや、現場で毎日汗をかいて働いているエッセンシャル・ワーカーから羨ましがられる存在ではいられなくなったのだ。

日本企業と経営者が乗り越えるべき課題

２０２０年の春。コロナ禍が深刻になりだして以降、講演の依頼はさっぱり来なくなった。

それまでは月に3回ほど、日本全国各地から講演要請を頂いたが、その中で最も要望が大きかったテーマは「人手不足」である。日本は、少子高齢化が進む中で生産年齢人口が減り、深刻な人手不足が顕著になっていた。そこで、いつも私がお話しさせて頂いていた内容は、まずは日本とアメリカの労働生産性比較である。日本人の誰もが「勤勉な日本人は、アメリカ人より、よく働くはずだ」と思い込んでいる。たしかに日本人は真面目だし、労働時間も長い。だからアメリカ人よりも働いている、という論理である。

しかし、いくら真面目に長時間働いたからといって、成果が出なければ働いたことにはならないし、利益を出さなければ賃金も増えない。日本の各業種別に調べてみると、アメリカに匹敵する労働生産性を発揮しているのは建築・土木だけである。一昔前の都心のビル建設現場には、多くの外国人労働者が現場に張り付いていた。ところが近年はというと、地下の基礎工事を終えて地上に姿を現したビルは、殆ど人影も見えないまま、毎日すくすくと高さを伸ばしていく。きっと、想像を超える合理化と自動化が進展したのであろう。

一方、日本の金融・製造分野での労働生産性は、アメリカのほぼ半分である。サービス業では、アメリカの三分の一、そしてＩＴ分野の労働生産性はなんとアメリカの五分の一にしか過ぎない。これは日本人がアメリカ人に比べて能力が劣っているとか、働いていないとかいうことでは決してない。要因はいくつかあるが、ひとつは、やらなくても良い仕事をしているということだ。これは働き方改革で是正されていくはずだが、無駄な管理階層を多くつくって組織を肥大化させ、「人を管理する管理職」を多数つくってしまったことが大きな敗因である。

アメリカでも管理職（＝マネージャー）はいるが、人を管理する業務ではなくて、プロジェクトを管理するマネージャーである。だから、部下を持たないマネージャーが多数存在する。こうしたマネージャーたちが協力をして、決められたプロジェクトを納期どおり、コスト管理された状態で実現していくために共同作業を行っていく。ところが日本ではどうだろう？　例えば、課長が承認しても、部長が決済しなければ事が進まない。各階層の管理職を説得するために何度も会議が開かれて、無駄な時間がどんどん過ぎていく。

もうひとつは、ＩＴの活用方法である。日本では「ヒト」ではできないことをＩＴにやらせる、逆にいえば「ヒト」でできることは「ヒト」にやらせれば良いので、ＩＴを導入する必要はないという考え方が浸透している。一方、欧米では、とにかく離職率が高いので、「ヒト」に依存することは事業継続性から見て大きなリスクであるという考え方だ。従って、「ヒト」で行うより多少効率が悪くてもＩＴで行うほうが、リスクが軽減されると考える。こうした異なる考え方で長年進んでいけば、その両者には驚くほどの生産性の違いが表れてくる。ＩＴ分野のコンサルタント業界でよく話題に上るのが、ＡＩを使って問題解決をするという要請を受けて話を聞いてみると、じつはＡＩなど全く使わないで、現行のＩＴ技術で解決できる話が70％以上だというのである。

それで、深刻な人手不足に悩んでおられる経営者の方々に、私がいつもお話しさせて頂くのは、「皆様がもっとＡＩやＩｏＴを含むＩＴ技術を各分野に導入されたら、今の人手不足は一転して、余剰人材を抱えることになります。その時、長年尽くしてくれた仲間を解雇するのですか？　そうならないように、新たな仕事のやり方に対応できるよう、今から人材教育することが経営者の責任です」ということだ。もちろん、今の仕事のやり方で、それがすべてＡＩやＩｏＴで合理化できるとは思わない。今の仕事のやり方そのものが本当に正しいのか、そのビジネス・プロセスを抜本的に改革する必要がある。もっと有り体にいえば、世界中で多くの企業が導入済みのパッケージに合わせて、今の仕事のやり方を変えていくという考え方もある。

ただし、これには社内の反対も多いに違いない。透明性が高く、効率的なビジネス・プロセスを導入すれば、必要がなくなる立場の人やポジションがたくさん出てくるからだ。こうしたビジネス革命が、コロナ禍で起きはじめた。狭い会議室にみんなで集まって何度も長時間会議をするようなことは、感染対策上、よろしくはない。オンライン会議は従来の仕事のやり方を大きく変えた。実際のリアルな会議に比べて、オンライン会議は上下関係の意識が希薄となる。みんなが対等に参加している感じは、議論の活性化をもたらしているだろう。そこでは、バーチャルであるがゆえに、フラットな組織を感じさせる。いや、そうでなければ、むしろオンライン会議などやらないほうが良い。

もうひとつ、人手不足から労働力余剰になる要因が、コロナ禍が生み出す大量の失業者である。コロナ禍で、倒産や事業規模縮小に追い込まれたのは中小企業だけではない。就職戦線でみんなが憧れていた一流大企業も、こうした悲劇に巻き込まれる可能性は高い。近年、転職市場が活況を呈しているので、ここから経験豊かで優秀な人材がドッと流れ出すだろう。逆に、優秀な人材の採用に悩んでいた新興企業には絶好のチャンス到来である。企業の新陳代謝が活性化することは、日本の経済成長を促進させていくだろう。

コロナ禍による、労働市場へのさらなるインパクトとして、外国人労働者の問題がある。検疫による規制によって日本に入国できない膨大な数の外国人労働者が発生した。これまで移民を積極的には受け入れてこなかった日本も、未曾有の人手不足から外国人労働者の積極的な受け入れに舵を切ったわけだが、国内に大量の失業者が出てきた場合、これまでどおり外国人労働者を積極的に受け入れるべきかどうかについては難しい議論になっていくだろう。一方で、外国人労働者側も、日本での待遇問題が中国やドイツに比べて必ずしも良くないことで不満を持ってきたことも相まって、一気に「もう日本へ行くのはやめよう」という機運になりつつある。ここはぜひ、日本の長期的な持続性を含めて、よく考えるべきだろう。

コロナ禍において、労働市場におけるさらなる問題が浮かび上がってきた。テレワークやオンライン会議は、これまでのビジネス・プロセスを大きく変革し、AIやIoTという次世代のITテクノロジーの導入を容易にする基盤形成を促進した。この結果、少なくとも定型業務を行っているホワイトカラーの職は大幅に減少する。一方で、例えば看護、介護、保育といった、テレワークではできないエッセンシャルワークの重要性はますます高まり、これまで外国人労働者で充当しようとしていた考え方に変化が起きてくるだろう。

労働市場統計は求人倍率、失業率で示されるが、実際には職の中身でミスマッチが起きている。とくに、農業や水産業など食に関わるエッセンシャルワーカーの賃金水準については、国民全体でよく考えたほうが良い。技能実習生という、日本が国連から奴隷制度と非難されている外国人の低賃金労働制度で凌げる時間は、もうそう長くはない。そして、分断された世界、気候変動などを考慮すれば、食の安全保障という課題は、すぐそこに迫っている。

水産物や農産物の価格は、日本人の平均給与で働いても見合うように値上げをするべきだろう。安価な外国産に頼っていたら、いざという時に食べるものがない。コロナ禍のような世界的パンデミックは、いざという時には国境をも封鎖する。戦後80年近くなったが、日本は決して、食糧危機の問題を克服できていないのだ。

個人情報を隠したい国民性の落とし穴

新型コロナウイルスの恐怖が染み付いてきたせいか、いろいろなところで異変が起きていた。

例えば、大型スーパーではスマホ決済可能なレジだけが混んでいる。皆さん、誰が触ったかわからない現金を自分の手で触れたくないからだ。私がスマホ決済を嫌った理由は、銀行口座とスマホが紐づけられると詐欺に遭う確率が極めて高くなると心配していたからに他ならない。しかし、スマホ決済ではコンビニ銀行ＡＴＭ（第４世代ＡＴＭ）で銀行口座から引き出した現金をスマホ内の口座にプレチャージできるのを知り、急遽、スマホ決済に参入することにした。

さて、２０２０年4月20日に閣議決定された10万円の特別定額給付金については、その手続きに関して大きな問題となった。諸外国では、給付の発表から2日後には各人の口座に振り込まれたのに、日本では手続きの申込書が届くまで１カ月、それから支給されるまで、さらに1カ月以上もかかった。私は、ＰＣＲ検査の意図的な抑制策など、新型コロナウイルスに関する政府の諸施策については依然として大きな不満を持っているが、この特別定額給付金の支給については、国民の側にも一端の責任があると考えている。

それは、日本人における、過度な個人情報保護への要求である。住民基本台帳で扱われた基本4情報（氏名、住所、生年月日、性別）が、どうしてとくに機密を要する個人情報なのか、私にはいまだに理解できない。むしろ、こうした個人情報保護の名の下に、やるべきことをやらない役人のサボタージュが行われているような気がしてならない。

例えば、東日本大震災で、家屋とともに、持病の治療薬も健康保険証も失い、通っていた医院も津波に流された被災者が治療薬を求めても、レセプト（調剤報酬明細書）データを保有している健康保険組合は、個人情報保護規則によって厳しい罰則が課せられることを恐れて、当初、簡単には被災者の要求には応じなかった。そのために、どれだけ多くの被災者が犠牲になったか計り知れない。

２００９年7月。経済評論家で国際公共政策センター理事長の田中直毅先生と一緒にインドを訪問した。その直前に設立されたインド固有識別番号庁（ＵＩＤＡＩ）を訪れ、マンモハン・シン首相の特命で、同庁の総裁に任命されたナンダニ・ニレカニ氏からお話を伺った。固有識別番号庁とは、インド国民全員に背番号を付与するための組織であり、ニレカニ氏はインドの三大ＩＴベンダーのひとつであるインフォシスの共同創業者で、会長兼ＣＥＯを退任し、ＵＩＤＡＩの総裁に就任した。当時ＵＩＤＡＩは、前月に発足したばかりで、組織員はニレカニ氏を含めて3人しかいない小さな組織だった。

「シン首相は私に、インド国民全員の固有識別番号（ＵＩＤ）制度を確立して欲しいと命じた。しかし、インドは世界最大の民主主義国家であり、国会議員も首相も選挙で選ばれる。国民は、その民主主義に大きな誇りを持っている。だから、誰しも、自分にＵＩＤを付与され管理されることに大きな抵抗感を持つ。シン首相からは全員にＵＩＤを付与するよう命じられたが、私は、インドではそんなことはとても無理だと思っている。だからまず、ＵＩＤを持ったほうが便利で、生活が豊かになれると感じた人から応じてくれれば良い。大変恥ずかしい話だが、インドの役所はとても腐敗している。インド政府が貧しい人々に向けて支給しているお金の殆どが、役人たちにネコバされて途中で消滅し、必要な人に届いていない。インドのある州では、政府が貧しい人々のために配布しているフードチケットが州の人口の3倍もあるという。UID制度によって貧しい人々に間違いなく政府の支援が届くよう、インドの社会福祉制度を根幹から変えなくてはならない」とニレカニ総裁は私たちに熱く語られた。

その時、ニレカニ総裁が悩んでいたのは、UIDを担保するための生体認証をどうやって行うかだった。虹彩認証は高価で普及が難しいし、指紋は安価にできるが多数のインドの労働者は激しい作業で指紋が消滅している人が多い。しかし、テクノロジーの進歩は社会制度の進展より遥かに速い。ニレカニ氏がUIDAIを設立してから8年たった、2017年には、この制度はアドハー（Aadhaar）という名称で確立され、インド総人口のおよそ80％に相当する11億6000万人の指紋、顔写真、虹彩が登録された。

すでにインドでは、UIDは銀行口座の開設やスマホのSIMカード登録には必須の手段となっている。インド政府から貧困層への支援金は、直接スマホ口座に振り込まれる。インドでは物乞いの人々までスマホを持っているので全く問題ない。シン首相がニレカニ氏にUIDの登録を急がせたのは、世界中でインドが個人識別番号の導入において最も遅れている国だったからだ。もちろん、日本を除いてという意味である。インドも含めて欧米各国では、新型コロナウイルスで困っている人々への現金支給において、申請手続きなどは全く必要がない。

インドとは好対照のアメリカではどうなっているのか？　20年前にアメリカに赴任した私の経験からいえば、アメリカに入国して最初の行うべき責務は、社会保障番号（ＳＳＮ）の登録である。運転免許証の申請も、銀行口座の開設も、ＳＳＮ（Social Security Namber）なくしてはできない。アメリカの国税庁である「アメリカ合衆国内国歳入庁（ＩＲＳ）」に所得申告する際にも、ＳＳＮと銀行口座番号の登録が必須である。日本と異なりアメリカでは、給与所得者のほぼ全員がＩＲＳに所得申告をする。それは、アメリカの源泉徴収額が過剰であり、税務申告すれば、ほぼ全員の過重税額が申告銀行口座に還付されるからだ。

つまり政府が、ほぼ国民全員の銀行口座番号を知っているので、今回のコロナ禍による支援金を支給する際の、国民側の申請手続きは一切不要である。しかも税務当局は所得申告額まで知っているので、政策によっては高額所得者を支給対象から外すことも簡単にできる。こんなことをいうと怒られそうだが、日本も本来は、国民全員に10万円を支給するより、困窮している人々への30万円支給のほうが政策的には絶対に正しかったはずである。この政策が大きな非難を浴びたのは、その選別手続きで支給に更なる大幅な遅れが予想されたからだ。

コロナ禍で大幅に縮小されるか、あるいは破壊された業種・業態があり、しかも、それは、簡単には元に戻らないだろう。そこで働いていた人々の救済は、これから一体どうするのか？　もはや、ベーシック・インカムに近い救済制度の導入しか考えられない。そのためには、日本においても、ＵＩＤ（マイナンバー）の適用分野を、今より一層拡大していくしか救われる道がない。日本国民が個人識別番号の導入に対して、世界で最も保守的だったのは、それだけ国民が政府を信頼していないからだと思ったほうが良い。ニレカニさんが言うように、国民がメリットを感じられるような効率的な行政システムの構築が必須である。

「祭り」を取り上げられて

ＰＣＲ検査のための検体採取は、鼻腔のほうが上咽喉より20倍のウイルス量なので、敢えてクシャミによる感染の危険を冒しても、鼻腔から採取するのだと聞いていた。が、じつは唾液のほうが鼻腔より5倍近くもウイルス量があると聞いて唖然とした。もっと早くそれがわかっていれば、ＰＣＲ検査もスムーズに行われて、命が助かった方も少なからずおられたのではないかと大変残念に思う。

新型コロナウイルスは、まず口の中の受容体に住み着いて、繁殖をしてから鼻腔や上咽喉へ移動するので、味覚障害・嗅覚障害が感染の初期段階に起こるというのは素人でも納得できる。また、初期の無症状感染者の感染力が高いというのも、元気な人が大声で話して口から唾が飛沫として多量に飛び散るからだ。ダイヤモンド・プリンセス号で多くの感染者を出したのも、船の手すりやブッフェでのトング共有で、手に感染したウイルスがパンを食べることで口まで運ばれたとの説が有力だが、これも説得力があった。

従って、感染症専門学会が指摘する「三密を防げ」というのは極めて正しかった。近い距離で大声を出して騒げば、感染の確率は飛躍的に高まるからだ。この「近い距離で大声を出して騒ぐ」という行為が、いわゆる「祭り」と呼ばれる行事だ。「祭り」は、大規模な会場でのスポーツ観戦や音楽ライブとして、新型コロナウイルスの危険なクラスターとなる。多くの人々が心の拠り所にして、楽しみにしているこの「祭り」が、二次感染、三次感染を恐れて、暫くの間、開催が難しくなってしまった。

そもそも「祭り」は、為政者が民衆の不満をガス抜きさせるための懐柔策として大いに利用をしてきた。一方、民衆のほうも懐柔策に乗せられたフリをしながら、「このエネルギーの矛先が為政者のほうに向いたら大変なことになるぞ」という脅しの意味も込めて、精一杯、命がけの馬鹿騒ぎを行ってきたのだ。それでも、近い距離で身体をぶつけ合って大声で叫ぶことで、お互いに固い連帯感を共有できるメリットは大きい。共同生活を必要とする人間社会では、絶対に不可欠な風習でもある。

ところで、私ものちに気がついたことだが、「テレワーク」の「テレ」とは「電話」の意味ではなく、「リモート（離れている）」という意味だった。元来、電話を意味する「テレフォン」とは、「離れた」「音（声）」が語源だからだ。従って、「テレワーク」

というよりは「リモートワーク」というほうが、日本人には実態に即した理解ができる。今まで、同じオフィスで働いていた人々が、いわゆるSocial Distancingに準じて、離れた場所で仕事をするというのが、「テレワーク」である。しかし、どうだろう。それでは「テレ祭り」というのは可能なのだろうか？　ヒトは近い距離で共同生活を営み、楽しみも悲しみも、そして怒りも、近い距離で共感を得て感動を得ている。Social Distancingを保って共感を得るのは極めて難しい。

古来より「祭り」は、ムラという共同体の結束を深める行事として行われてきたが、一方で、排他的な側面も持っている。よそ者は、「祭り」の見学者にはなれるが、ムラのインナーサークルに入り、本当の意味での参加者にはなるのはなかなか難しい。「祭り」の時だけ、近い距離にいて同じ空間を共有しても、本当の仲間となることはできない。私たちは日頃から、近い距離で生活を営んでいないと、お互いの苦しみや悲しみまでは理解できない。すなわち、「祭り」はそれらを乗り越えた本当の意味での楽しさや幸せ感を共有することが重要なのだ。

そうだとすれば、私たちはミャンマーに住んでいたロヒンギャ難民を「可哀想だ」

と理解を示していても、あの残虐な仕打ちが、いまだに過酷なカースト社会を維持しているインドや、あるいはクラン（同族）によって、社会を分断しているアフリカや中南米の一部の国々では、それが日常的に行われていることをどこまで知っているだろうか？　インドでは、いまだに汚水槽や汚水管を素手で掃除することを強いられている最下層のダリット（不可触選民）が存在する。しかも彼らは、インド社会に不可欠なエッセンシャルワーカーである。新型コロナウイルス感染拡大防止策の一番に手洗いが挙げられているが、彼らは日常的に糞尿を触っており、しかも手洗いをする水すらも与えられていない。そして、今後もワクチン接種を受ける機会は訪れないだろう。

先進国では、この1～2年の内に、コロナ禍から脱出することはできるだろう。しかし、インドやアフリカ、中南米では、もっと酷い状況にまで感染が拡大するだろう。その間にCOVID-19ウイルスは、さらに凶悪なCOVID-20やCOVID-21に変異することも考えられる。地球の裏側まで24時間以内で移動できる昨今、こうした凶悪なウイルスが、再び先進国を襲うことは明らかだ。

近距離で幸せを共有できる「祭り」ができないと嘆くのもわかるが、私たちはもっと遥かに遠い世界で、次の新たなパンデミックが、私たちが普段あまり関心を持っていない世界で、周到に準備されていることも考慮に入れておく必要がある。

デフレ・ビジネスという沼

2020年4月。コロナ禍によって、訪日観光客数は昨年対比で99・9％減になった。2019年の訪日外国人観光客（インバウンド）数は合計3188万人と初めて3000万人を超えた。内訳は中国が959万人（30％）、韓国が558万人（18％）、台湾が490万人（15％）、香港が230万人（7％）と、東アジアだけで合計70％となる。さらに、タイ、フィリピン、マレーシア、シンガポール、インドネシア、ベトナムといったASEAN勢で349万人（11％）と、東アジアとASEAN諸国を合わせると合計80％にまで及ぶ。この経済効果は4兆6000億円にも達する。これが2020年にはほぼゼロになったのだから、コロナ禍がインバウンド経済に及ぼした影響は計り知れない。

世界的に見ると、2019年インバウンド第1位のフランスが8932万人、第2位のスペインが8350万人、第3位のアメリカが7925万人と続き、日本は英国の3942万人に続いて、堂々第11位にまで駆け上がっている。さて、日本はどうして、このように急速に世界に冠たる観光国家になったのだろうか？ 世界が急に日本の魅了に注目したというのだろうか？ しかし、よく見ると日本のインバウンドの大多数は東アジア、東南アジアからの観光客で占められていた。

ところで日本人の可処分所得は1997年をピークに年々減少し、2019年にはピーク時より13％も減っている。一方、東アジア、東南アジアの人々の可処分所得は1997年と比較したら4～5倍にまで伸びている。ということは、彼らから見たら日本の物価が非常に安くなったように見える。今まで手が出なかった憧れの日本が、急に身近に感じられて、「よし行ってみよう」ということになったのだろう。つまり世界の中で、日本だけが可処分所得が落ちている。その結果、物価はどんどん下がり、デフレが進行し続けている。2013年以降、アベノミクスで株価は上がったが、賃金と物価は下がり続けている。

安倍元首相とともにアベノミクスを推進してきた日銀の黒田総裁は、異次元の金融緩和によって年率2%のインフレを目指したが、殆ど効果はなく日本のデフレは進行し続けている。経済評論家は、大変ご不満のようだが、国民は安堵して胸をなで下ろしている。なぜなら、給料が下がっているのに物価だけが上がったら暮らしはますます苦しくなる。万が一、黒田日銀総裁の思惑どおりにインフレが進行すれば、大衆は怒り狂い日本中で暴動が起きていただろう。つまり、アベノミクスの金融政策は成功しなかったからこそ、国民は毎日何とか食いつないでいる。

今の日本では、こうした事実を冷静に認識している企業だけが、静かに順調に業績を伸ばしている。コロナ禍で多くの企業が苦しむ中で、以前からデフレを組み込んで好業績を上げている企業がにわかに注目を浴びた。その代表が、ワークマンとニトリである。消費者は日常を大事にして、清潔な普段着を求めている。晴れ着は、もはや着ていくところがなくなった。老人から若者まで、みんな生活のすべてにおいて「コスパ」を求めている。2020年に発売された「GUコスメ」も、象徴的だった。年率で30%近く落ち込む日本経済。人々の可処分所得の落ち込みは、それ以上になったとしても、それでも人々は工夫をしながら強(したた)かに生きる。

しかし街を歩くと、ドイツ製高級車のシェアが驚くほど増えたような気がする。極端にいえば、今私が住む街を走っている車はドイツ製高級車と軽自動車だけといっても過言ではない。この人たちはアベノミクスの恩恵を受けて、株の値上がりで大儲けしたのだろう。しかし多くの人々は、家賃と水道光熱費、食事代を支払うだけで精一杯だ。こんな中で、Ｇｏ Ｔｏ トラベル、Ｇｏ Ｔｏ イートといった政府主導のキャンペーンの恩恵をどれだけの人が受けたのだろうか。もはや、経済を活性化して企業業績を上げれば、トリクルダウンで人々の生活が豊かになるという循環経済の思想は、このコロナ禍では当てはまらない。

家電量販店では、エアコンが爆発的に売れた。それは、エアコンは贅沢品ではなく、生命維持装置となったからだ。少し前までは、マスクや消毒用アルコールも並んでも手に入らなかったし、体温計、使い捨て手袋やウエットティッシュすら簡単には手に入らなかった。人々は、お金はなくても生きるために最低限必要なものは買う。しかし、娯楽や教養にまでお金を使う余裕がなくなれば、音楽や舞台など、芸術文化面での支援は政府が直接行わないと将来への命運は危うい。

そうだ。コロナ禍とは、新たな形の戦争状態なのだろう。今、起きていることを、戦後すぐに生まれた自分の人生の記憶と重ねると、よく理解できる。しかし、あの時はドイツ製高級車を乗り回しているような経済的に豊かな人々の姿はなかった。みんなが貧しければ、いくら貧しくても不幸ではない。やはり、人々を苦しめている最大の問題は格差の拡大に違いない。

デフレは、資本主義経済活動にとって決して良いことではない。しかし、いくら企業活動が活発化しても、個人の収入が上がらなければデフレを脱去することはできない。デフレを前提としたビジネスが成功を収めている間は、デフレは絶対に解消はしない。

炙り出された医療問題

2020年7月。大手調剤薬局チェーン各社は、2020年第1四半期（4月～6月）決算において、売上が大幅に落ち込んでいると発表した。

日頃、私は4つの病で定期検診を受けている。前立腺がん、甲状腺がん、睡眠時無呼吸症候群、高血圧の4つである。それぞれ、2～3カ月おきに検診があるので、ほぼ毎月、どこかで受診している。とくに、コロナ禍がはじまった2020年3月以降は、今までに見られなかった状況が起きた。これまで賑わっていた病院の待合室に患者がいなくなった。みんな、院内感染を怖がって病院に来ないのだろう。電話診療で処方箋だけもらっているのかもしれないと思ったが、大手調剤薬局チェーンの売上まで大幅に落ち込んでいた。メディアは盛んに「医療崩壊」の話題を出した。

日本は、世界の諸外国に比べたら感染者数も死者数も圧倒的に少ない。これは、日本の政策がうまくいっているというよりも、日本国民が恐怖感で自主的に行動を抑制したからに他ならない。この国民の恐怖感こそ、政府に対する不信感の表れだといえるだろう。そして、この国民の極端な恐怖感が経済に反映されて、大不況を招いている。政府が観光キャンペーンを行っても国民は全く冷めていて、そうやすやすとは乗ってこなかった。逆に「賢明な国民vs凡庸な政府」という構図こそが戦後の日本をここまで繁栄させてきたともいえる。

世界一の超大国であるアメリカでは、なぜ新型コロナウイルスの感染者数、死者数が世界一となったのか、全くの謎である。アメリカの人口は3・3億人で日本の3倍、国家予算は500兆円で日本の5倍、GDPは20兆ドルで日本の4倍と圧倒的な大国である。病院数こそ日本が世界一で8300、アメリカが世界第2位で5000とやや少ないが、医師数でみると日本が32万7000人なのにアメリカが85万人と、日本の病院数がやや異常な数という感じもする。日本は、きっと小規模の病院が多いに違いない。もちろん医療分野の先端技術でもアメリカは圧倒的な力を持っている。

アメリカの医療は、1975年から現在までの46年間で、どのように変化したのだろうか？　まず、医療部門の就業者数でみると1975年の400万人が、現在では

1600万人と4倍に増えており、これはアメリカのすべてのセクターで就業者数が第1位である。そして、一人あたりの年間医療費では1975年が年間550ドルだったのに対して、現在では年間1万1000ドルにも達している。さらに、入院する際の1日の平均的な部屋代は1975年が100ドルだったのに対して、現在は4600ドルもかかる。つまり1日入院すると治療代を除いて部屋代だけで約50万円かかるということである。

これだけの医療費をかけていながら、アメリカの平均余命は1975年の71歳から、現在は76歳までしか伸びていない。アメリカとほぼ同等の医療費をかけている他の国々の平均余命の伸びは、1975年の71歳から現在84歳まで伸びている。長寿の国である日本から見ると、アメリカ人は、どうして短命なのかと不思議かもしれない。しかし、センテナリアン（Centenarian）といわれる100歳以上の人口でみると、2019年の統計ではアメリカが世界一で10万人、日本が世界2位で7万人である。もちろん総人口が3倍以上違うので、一概に絶対数では比較できないが、問題は100歳以上の人々の暮らし方である。日本では100歳以上の90％が寝たきりで、アメリカでは100歳以上の90％が働いているというから驚きだ。

もちろん金銭を受領していなくても、何らかの仕事をしていれば立派に働いているといえるので、アメリカ人は日本人より遥かに高齢まで元気だといえる。実際に、アメリカのゴルフ場で90歳を超えた同士で一緒にプレーしているのを何度も見かけている。彼らは私たちに、「自分たちはゆっくりプレーするので、どうぞお先に行ってください」と道を譲ってくれる。つまりアメリカの富裕層や中間層は、みんな揃って長寿で元気なのだ。それは、お金さえあれば、アメリカでは世界一流の医療を受けられるからであろう。

アメリカの平均余命を押し下げているのは、まともな医療を受けられない貧困層が、若くして寿命を終えているからである。もっと正確な表現を使えば、医療以前の問題。つまり病気以外の原因で、10代、20代で多くの若者が亡くなっている。自殺、交通事故、殺人、薬害、アルコール中毒が、その主たる原因だ。白人、黒人を問わず、ラストベルト地帯や都会のスラムで、アメリカの平均余命を押し下げている人々が、新型コロナウイルスの犠牲者である。彼らには、アメリカの最先端医療は全く届かない。コロナ禍で世界最大の感染者数、死者数を出したアメリカには、その多くの要因に貧困、格差、差別という社会問題が内在している。

アメリカはともかく、日本の医療体制は、新型コロナウイルスのようなパンデミックに対して、どのような課題があったのだろうか？　まず、一番大きな問題はＰＣＲ検査がなかなか行われなかったことである。このことが国民の不信感と恐怖感の根源になった。つまり、新型コロナウイルスに感染しても、簡単には検査してもらえない。保健所でなかなか受け付けてもらえない間に、時間が経過して、重症化して死んでしまうのではないかという不安と恐怖であった。経済活動は人々の恐怖心によって、大きく冷え込んでしまう。

たしかに、保健所の仕事は大変である。皆さん、過労死寸前まで頑張っておられるが、精神力だけでは長期にわたって持続することはできない。そこで、保健所の数の推移をみてみると、１９９４年には日本に保健所は８４７カ所もあった。それが２０２０年には約半分の４６９カ所に半減されている。また、病床も日本全国で１９９０年には１５３万床あったものが、２０１５年には１３３万床と20万床も減っており、その後５年経って、２０２０年には、さらに減少している。日本は、今から１００年前の１９１８～１９１９年にかけて大流行したスペイン風邪というパンデミックを経験したが、その後幸いにも、ＳＡＲＳやＭＡＲＳの流行は逃れることができた。しかし、この１００年間を平和に過ごしたことが、日本のパンデミックに対する感性を鈍化させた。

日本は世界で有数の自然災害大国であり、地震や津波、風水害などに対して巨費を投じた防災措置が取られている。強靭な国、レジリエント（しなやか）な社会を目指して、毎年巨額の土木工事予算を計上していたが、パンデミック対策という大災害に対する備えは、果たして十分だったのか、今後に大きな反省の余地を残している。安全保障とは、普段は無駄だと思われる資源が、有事の時には役に立つという意味だと理解すべきだろう。

われわれに与えられた課題

コロナ禍が及ぼした長期的なダメージは、短期的なダメージより遥かに大きいだろうといわれている。

1930年にアメリカで起きた大恐慌が人々に与えた心の傷は大きく、その消費行動や生き方は、生涯にわたって大きな影響を与えたとされている。今回の世界的なパンデミックにおいて、日本でも、以下のような懸念がある。

1)コロナ禍に就職期を迎えた若者

ちょうどコロナ禍に就職活動をしていた学生たちは、雇用情勢の劇的な変化により、社会人になる足がかりを失い、かつての就職氷河期の時代と同じように生涯賃金が低くなる立場に追い込まれる可能性がある。こうしたことは、もう二度と絶対に避けなければならない。かつてバブル期に採用した人材に比べて、その後の就職氷河期で正規社員になれなかった派遣社員のほうが遥かに優秀で、ぜひ交換したいと思ったことは何度もある。もちろん、こうした優秀な派遣社員を正規社員として採用することはできたのだが、バブル期に採用したあまり仕事のできない正規社員を解雇することなど簡単にできるはずもない。今後企業は、新卒一括採用だけに依存するのをやめて、通年採用へと早く切り替えるべきだろう。

2)コロナ禍で増えた女性の自殺者

コロナ禍で男性の自殺者は減少する一方で、女性の自殺者が大幅に増えたといわれている。男女雇用機会均等法案が成立した後も、日本の社会におけるジェンダー・ギャップは依然として大きい。さらに、離婚後も養育費を貰えない多くのシングルマザーが、このコロナ禍で職を失った。また、このコロナ禍は、巣ごもり生活の中での密な関係から、多くのＤＶ被害者をも生み出した。こうした問題は、コロナ以前からも存在したが、自然災害やパンデミックは、社会的弱者をさらに苦境へと追い詰める。また、そうした貧困状態で育った子供たちは、十分な教育も受けられないことで、世代間を超えて恒久的な貧困に苦しむことになる。こうした連鎖は何としても防がなくてはならない。

この2つの課題も、「既に起こっていた未来」であり、コロナ以前からあった問題で、パンデミックによって一層顕著に表れただけだ。高齢者に対する政策も重要だが、若者と女性、子供の問題にも注目しなければ、本当に豊かな社会とはいえない。

あとがき
～パラノイアだけが生き残る

２０１１年3月11日に起きた東日本大震災。大津波と原発事故で、文字どおり東日本全体が恐怖に慄いた。それは、都市直下型で火災が被害の中心だった阪神淡路大震災から16年も経っていなかった。それから10年も経たないうちに、今度は世界を震撼させているパンデミック（COVID-19）の中で、日本中が不安に陥った。私も、今年こそは久しぶりに石巻に行き、10年目の慰霊祭に出席したいと思っていたが、変異ウイルスの台頭が心配される中でご迷惑をかけてはいけないと中止した。

どうして私たちは短い一生の中で、何度もこれほどの大惨事に遭遇するのだろう。まさに「起きて欲しくないと思っていることは、必ず起きる」である。岩手県陸前高田市にある「津波伝承館」は、「かもめの玉子」の製造発売元である「さいとう製菓」の工場敷地の中にある。震災発生時に副社長だった齊藤賢治さんが語り部として、避難する時に撮影したビデオ映像を投影しながら自ら解説をする。大船渡湾を急襲する津波の凄さもさることながら、私が一番驚いたのは、多くの人々が津波をそれほど恐れていなかったことである。

齊藤さんが私財を投じてつくられたこの「津波伝承館」は、津波の本当の怖さを次の世代に伝えたいという思いからだった。一番印象的だった映像は、ちょっとした小高い場所から津波を眺めている若いカップルの姿だった。齊藤さんが、山の上から大声を出して「上がって来い！」という指示に対して、2人とも笑顔で振り返りながら眺め続けている。この後、この若い2人は津波に飲まれて亡くなった。歴史の目撃者として津波を眺め続けていたかった気持ちをわからないでもないが、彼らは津波を本当に怖いと感じていなかったのだ。

「釜石の奇跡」を起こした、東大教授で日本災害学会会長の片田敏孝先生の講演を聞いた時に、子供たちの素直さにゾクゾクするほど感動するとともに、大人たちの無関心さには怒りさえ覚えた。

当時、群馬大学教授だった片田先生は、釜石市の大人たちを対象として、津波に対する防災意識を浸透させるつもりで何年も努力されたが、一向に関心が得られなかった。それで、釜石市の教育委員会に働きかけて釜石市の小中学校の生徒を対象に8年間も啓発活動を続けられた。それが「津波てんでんこ」で、「津波が起きたら、まず、自分だけは高いところへ逃げろ」という考え方である。その結果、大人には多くの犠牲者が出たにもかかわらず、当日病気で休んでいた子供一人を除いて、釜石市のすべての小中学校の生徒が助かったのだ。

同じような話が、ニューオリンズを襲ったハリケーン「カトリーナ」でも起きている。犠牲者の多くが老人だったが、彼らは逃げられなかったのではなく、逃げなかったのだ。多くの老人が「一緒に逃げよう」という家族からの誘いも断った理由は、「自分が生きてきた長い人生の間で、そんなことは一度もなかったので、逃げる必要はない」ということだった。彼らが、「起きて欲しくない」「起きるはずがない」と思っていることは、実際には起きるのだ。

多くの犠牲者を出した石巻市の大川小学校を訪れて、驚いた。北上川の河畔に立つ大川小学校は、とてもモダンなつくりで、ここに通っていた小学生たちが送った毎日の楽しい学校生活が偲ばれる。驚くことに、この小学校の校庭は数十メートルの高さを有する裏山に隣接していた。津波が襲って来るという情報を得て、すぐさま、この裏山に子供たちを登らせれば、間違いなく全員助かったはずである。しかし先生たちは、突然のことに思考回路が停止してしまったのだろうか。目の前の北上川に架かる長い橋を渡って、向こう岸に行くことを目指して生徒たちを引率した。ひょっとして、そのようなルールになっていたのかもしれないが、そのルールは誰が考えても明らかにおかしい。

その結果、生徒たちはこの長い橋を渡り切る前に津波に襲われて、命を落としたのだ。石巻は大昔から、何度も津波の被害に遭っている。私の曽祖母、祖母とも、この石巻で生まれ育って、東京に出てきている。それで私は小さい時から、三陸地方を襲った大津波の話を、この二人から何度も聞かされている。曽祖母は「大津波が来る前には海の水が全部引いていくのだよ。それで、水を失ってバタバタしている魚を大勢の人が干上がった沖合まで取りに行った。その後その人たちは、みんな津波に飲まれて亡くなった」と悲しそうな顔で語っていた。その石巻で、津波が来たら、この大川小学校では、どういう行動を取るべきか事前に何も決めていなかったとすれば、大川小学校の先生たちだけでなく、石巻市教育委員会を含めた市の行政全般に関して問われることになるだろう。

この東日本大震災から10年経った。大震災とは全く性質が異なるものの、新型コロナウイルスが起こしたパンデミックにおいて、この大震災で得た教訓を私たちは生かせたのだろうか。つまり、「起きて欲しくないと思ったことは必ず起きる」という教訓である。私はトランプ前大統領側近たちの回顧録なるものを何冊か読んだのだが、その中で2020年1月4日のトランプ前大統領は、電話で習近平総書記に新型コロナウイルスについて尋ねている。習近平総書記は、具体的なことは何も答えていないが、2020年1月10日に、中国は新型コロナウイルスの全ゲノム情報をアメリカ政府に送っていた。ファイザーやモデルナをはじめとするアメリカの製薬メーカーは、その翌日の1月11日には新型コロナウイルス mRNA ワクチンの開発をはじめている。

その当時の日本の状況を思い出してみる。おそらく、武漢を含めた中国全土からの春節をめぐる大量の観光客を迎えて、日本中がインバウンド景気に沸いていた。まさか、武漢で発生した新型コロナウイルスが世界に蔓延するパンデミックを起こすなどと誰も考えていなかっただろう。ここで思い出すのが、インテルを世界最大の半導体メーカーに押し上げたアンドリュー・S・グローブの著書『パラノイアだけが生き残る』（日経BP）である。パラノイアとは「極度に病的な心配性」という意味である。「会社の経営者や国の指導者は、パラノイアでないと生き残れない」と、グローブはこの本の中で述べている。２０２１年３月２日。これから緊急事態宣言を解除するかどうかの３月７日を迎える。首都圏では感染者の減少が止まり続けている。神戸では感染者の15％が変異ウイルスだともいう。ＷＨＯは本日、世界は感染拡大に反転したとの声明を出した。まさに「起きて欲しくないと思ったことは必ず起きる」という前提に立てば、ここから先の未来社会の予測が立ってくる。この時代を生きる人々はみな、病的なまでに鋭敏に、世界で起こる出来事を見ていく必要があるだろう。

２０２０年４月16日。政府が第１回目の緊急事態宣言を発してから１週間後の４月24日、元外交官の岡本行夫さんが新型コロナウイルスに感染して亡くなられ、大きなショックを受けた。岡本さんには、かつて私が会長をしていた富士通総研で特命顧問を引き受けて頂き、２カ月に一度、コンサルタントを務める社員たちを相手に、３時間ほど講義をして頂いていた。

いつも200枚近いスライドを使って、テレビでは絶対に仰らない踏み込んだ領域まで丁寧に解説をして頂いたことに大変感謝している。例えば、ご自身も小泉内閣の総理大臣補佐官として関わられた北朝鮮の拉致問題。尖閣諸島をめぐるアメリカの立ち位置など、機微に触れる問題についても丁寧に解説をして頂いた。どのお話も、地球を俯瞰して見て、冷静にかつ論理的に考えてみれば、なるほどと思わされることばかりだった。

また岡本さんは、東日本大震災が起こった直後から三陸海岸を何度も訪問され、地場の最大の産業である水産業のために何ができるかを考えられた。その結果、日本郵船が保有する中古のコンテナに冷凍機を装着して、漁港向けの簡易冷凍庫をつくるプロジェクト「岩手三陸復興の狼煙作戦」を立ち上げられた。富士通もこのプロジェクトに参加させて頂いたが、これは三陸の漁業関係者から大変感謝されるという素晴らしい成果を上げた。

今回も、新型コロナウイルスの感染拡大という未曾有の危機に際して、岡本さんの幅広い人脈を生かして収束に向けての活動を行われるのではないかという期待を持っていたので、大変残念である。お亡くなりになる直前の講演では、アフガニスタンで狙撃された中村哲医師の身辺警護の努力を、日本政府はなぜしなかったのかと憤慨されていた。岡本さんの外務省時代の同僚である奥氏がイラクで狙撃されたことも引き合いに出して、「紛争国で外交官の警備をしないのは日本だけだ」と悔しさを滲ませて語られた。

今後世界は、新型コロナウイルスとどう立ち向かっていくべきなのか？　険悪となっている米中関係の将来をどう予測するか？　岡本さんにお尋ねしたいことは今も山ほどある。このコロナの問題についても、「岡本さんだったらどう仰るのだろう」という視点から、いつも物事を考えている。

本書の最後に、この場をお借りして、心よりご冥福をお祈り申し上げます。合掌。

伊東 千秋
（いとう　ちあき）

１９４７年10月10日生まれ。

東京大学工学部電子工学科卒業後、１９７０年に富士通株式会社入社、ノートパソコン事業立ち上げに携わる。

１９９８年、当時年間１００億の赤字を抱えていた米国のＰＣ販売子会社（FUJITSU PC CORPORATION USA）の再建のため、Chairman ＆ CEOとして赴任。わずか3年で最速サプライチェーンを実現し、黒字化を果たして帰国。

２００４年富士通株式会社の取締役専務としてプロダクト部門担当を経て、代表取締役副社長（海外ビジネス担当／次世代技術戦略担当）就任後、同社代表取締役副会長。

２０１０年株式会社富士通総研代表取締役会長、２０１３年日立造船株式会社社外取締役。２０１５年株式会社ゼンショーホールディングス社外取締役、株式会社オービックビジネスコンサルタント社外取締役（現在に至る）。その他、文部科学省科学

技術、学術審議会研究計画、評価分科会、情報科学技術委員会委員、日本経済団体連合会（産業問題委員会産業政策部会部会長）など、多数の公職を歴任。

【スピーディ・ブックスとは】

スピーディ・ブックスは、売れ筋しか扱わず、事大主義に陥っている既存の出版業界に風穴をあけるため、パンクで知的な出版社を目指します。

スピーディ・ブックスは、著者に過去の実績を求めません。SNSのフォロワー数も有名人の帯も求めません。みんなの側にいる、知的で面白い人の本を出版します。

本は、ネット検索では決して補えない知の宝庫です。

スピーディ・ブックスは、紙の本でもKindleでも、近未来には脳に埋め込んだチップでも、時代の流れに合わせて提供していきます。

いたずらに最大公約数の関心を追わず、最小関心層のテーマを見つけ、こつこつと発行してまいります。

みなさまの関心事、ユニークなお友達がいれば、ぜひスピーディ・ブックスにお知らせください。

代表 福田 淳
info@spdy.jp

Speedy Books

2022年 再起動する社会

2021年10月6日　第一刷発行

著者　伊東千秋

発行者　布川敦司
発行所　株式会社 高陵社書店
〒106-0032 東京都港区六本木7丁目7-7-8F
TEL：03-5614-0363　FAX：03-5614-0383

印刷・製本　シナノ書籍印刷株式会社

装丁デザイン　園木 彩
本文DTP　今井拓己（Speedy,Inc）
企画編集　井尾淳子（Speedy,Inc）

ISBNコード　978-4-7711-1043-4